Y Ferch o
Berlin

BOB EYNON

DREF WEN

I Sali a Ceri Lewis

Mae Bob Eynon wedi datgan ei hawl
i gael ei adnabod fel awdur y gwaith hwn yn unol â
Deddf Hawlfraint, Dyluniadau a Phatentau 1988.

Cyhoeddwyd gan Wasg y Dref Wen,
28 Ffordd yr Eglwys,
Yr Eglwys Newydd, Caerdydd CF4 2EA
Ffôn 01222 617860

Argraffwyd ym Mhrydain.

Argraffiad cyntaf 1993
Adargraffiad 1997

1.

Cyrhaeddodd y trên orsaf Berlin tua phedwar o'r gloch yn y prynhawn. Cododd y teithwyr o'u seddau ac estyn am eu bagiau.

Cododd Tyrone Davies ar ei draed hefyd. Roedd pawb o'i gwmpas mewn gwisgoedd milwrol, ond roedd yr Americanwr yn gwisgo siaced lwyd a throwsus du. Roedd cot fawr frown yn gorwedd ar y sedd wrth ei ochr.

Doedd e ddim wedi siarad â neb yn ystod y daith hir. A dweud y gwir doedd e ddim yn gwybod digon o Almaeneg i siarad yn hir ag unrhyw un. Roedd geiriadur bach gydag e ac roedd e wedi ceisio dysgu rhai geiriau ar y trên, ond roedd y milwyr yn swnllyd iawn. Roedden nhw wedi treulio misoedd yn Ffrainc ac roedden nhw'n hapus i fod ar eu ffordd adref i Berlin.

Stopiodd y trên ac agorodd y milwyr y drysau a dechrau disgyn i'r platfform. Docdd Tyrone ddim ar frys, felly arhosodd i'r lleill ddisgyn cyn mentro allan.

Roedd tyrfa o bobl yn aros am y milwyr ar y platfform — dynion, gwragedd a phlant. Roedden nhw'n edrych yn hapus, neu'n nerfus, ac roedd rhai llygaid yn llawn dagrau.

Gwthiodd Tyrone ei ffordd heibio i'r bobl i gyfeiriad cloc yr orsaf. Roedd dyn tal yn sefyll yno; dyn tua thrigain oed. Roedd gwallt gwyn ganddo ac roedd e'n dal cas lledr yn ei law. Aeth Tyrone yn syth ato.

"Herr Myhre . . .?"

Trodd y dyn ato a gwenu.

"Ie, Olaf Myhre ydw i. Croeso i Berlin, Mr Davies."

Ysgydwon nhw ddwylo.

"Mae car 'da fi o flaen yr orsaf," meddai Olaf. "Dewch ymlaen."

Dilynodd Tyrone e i'r lle roedd hen Mercedes wedi'i barcio.

"Fe awn ni i'ch fflat," meddai Olaf. "Rhowch eich bag yn y cefn."

Tra oedden nhw'n gyrru trwy'r ddinas sylwodd yr Americanwr ar dai heb do neu heb wydr yn y ffenestri. Weithiau dim ond adfeilion oedd ar ôl.

"Mae'r Prydeinwyr yn bomio Berlin unwaith neu ddwywaith yr wythnos," esboniodd Olaf Myhre. "Pan ddes i yma ddwy flynedd yn ôl yn 1939 roedd y ddinas yn hyfryd, ond nawr mae pawb yn dioddef oherwydd y rhyfel."

"Ond mae Hitler yn rheoli Ewrop i gyd," meddai Tyrone.

Chwarddodd Olaf yn uchel.

"Nac ydy," atebodd. "Dydy e ddim yn rheoli Prydain, a dydy e ddim yn rheoli Rwsia chwaith. Roedd Hitler yn meddwl y byddai'r rhyfel drosodd ymhen misoedd, ond dyma ni ym mis Tachwedd 1941 ac mae bomiau'n disgyn ar Berlin o hyd. Mae milwyr Almaenig yn ymladd yn ffyrnig yn Rwsia, ond mae gaeaf Rwsia yn fwy peryglus na milwyr Stalin i gyd."

Trodd ei ben ac edrych ar yr Americanwr.

"Rydw i'n dod o Sweden," meddai. "Mae Sweden yn wlad niwtral fel America. Ond rydyn ni'n gobeithio

6

y bydd Hitler yn colli'r rhyfel 'ma. Fel arall, does gan Ewrop ddim dyfodol o gwbl!"

"Mae'r Americanwyr yn meddwl fel chi, Olaf," atebodd Tyrone. "Ond fel gohebydd papur newydd fedra i ddim ochri 'da neb."

Stopiodd Olaf Myhre y car o flaen adeilad deulawr. Aeth Tyrone i agor drws y car, ond rhoddodd Olaf ei law ar fraich yr Americanwr ac meddai'n ddifrifol: "Rydyn ni'n gallu siarad yn onest yn y car, ond mae'n rhaid bod yn ofalus ymhobman arall. Mae clustiau main 'da'r Gestapo . . ."

2.

Roedd y fflat yn lân a thaclus, ond doedd dim bwyd yn y gegin. "Doedd Carlton ddim yn hoffi coginio," esboniodd Olaf. "Roedd e'n mynd allan i fwyta bob tro. Ond peidiwch â phoeni. Gadewch eich pethau yma. Byddwn ni'n bwyta mewn tŷ bwyta heno."

Pan gyrhaeddon nhw'r tŷ bwyta dewisodd Olaf fwrdd yng nghornel yr ystafell. Doedd y lle ddim yn brysur a daeth gweinyddes at y bwrdd ar unwaith. Dangosodd hi fwydlen i Olaf a dywedodd e rywbeth wrthi hi yn Almaeneg. Caeodd hi'r fwydlen ac aeth yn ôl i'r gegin.

"Ydych chi'n siarad Almaeneg?" gofynnodd Olaf yn sydyn.

Siglodd yr Americanwr ei ben.

"Dyna drueni," sylwodd y dyn o Sweden. "Ond fe

fyddwch chi'n dysgu'r iaith yn gyflym. A dweud y gwir, doeddwn i ddim yn disgwyl i neb gymryd lle Carlton."

Arllwysodd Tyrone ddŵr i mewn i'w wydr.

"Dydych chi ddim yn nabod papurau newydd Hearst," meddai gan wenu'n gynnil. "Yn syth ar ôl marwolaeth Carlton cysylltodd Efrog Newydd â swyddfa Llundain lle roeddwn i'n gweithio fel gohebydd. Roedd rhaid i fi adael Prydain yr un wythnos."

"Mae'n anodd teithio ar adeg rhyfel," ebe Olaf.

"Ydy. Fe es i i Iwerddon mewn awyren, ac o Iwerddon i Sbaen mewn cwch. Yna fe gymerais y trên trwy Sbaen, Ffrainc a'r Almaen."

Daeth y ferch â chawl iddyn nhw, a dau ddarn o fara sych.

"Danke," meddai Olaf wrth y ferch. Yna dywedodd wrth Tyrone:

"Mae mwy o ddŵr na chig yn y cawl 'ma, ond mae'n rhaid cofio bod pethau'n llawer gwaeth ar ffrynt Rwsia ar hyn o bryd!"

Drannoeth aeth yr Americanwr ar y bws i'r swyddfa yng nghanol y ddinas. Cyflwynodd Olaf ef i'r gohebwyr eraill a oedd yn gweithio yn yr un swyddfa: un o Japan, un o'r Eidal, un o Dwrci, ac un o Dde America.

Pan oedd Olaf a Tyrone ar eu pennau eu hunain amser cinio rhoddodd Olaf rybudd i'r Americanwr.

"Peidiwch â dweud gormod pan fydd Mr Yakamura neu Signor Cavallo yn bresennol," meddai. "Ond mae'r ddau arall yn iawn."

A dweud y gwir, roedd y gohebwyr i gyd yn ymddangos yn gyfeillgar iawn, ond sylwodd Tyrone fod Yakamura a Cavallo eisiau gwybod popeth am America ac am agwedd yr Americanwyr tuag at y rhyfel.

Diolch i rybudd Olaf roedd yr Americanwr wedi paratoi ateb iddyn nhw'n barod.

"Does dim syniad 'da fi," meddai. "Dydw i ddim wedi bod gartref ers tro byd."

Weithiau yn y nos roedd awyrennau Prydeinig yn hedfan uwchben y brifddinas. Yna roedd rhaid i Tyrone adael ei wely cyffyrddus a mynd i gysgu mewn lloches dan ddaear gyda phobl Berlin. Roedd wyneb-au'r Berlinwyr yn wyn yn y golau gwan, ac roedd Tyrone yn cofio nosweithiau tebyg dan ddaear yn Finsbury Park, Llundain. Does dim llawcr o wahan-iaeth rhwng pobl Berlin a phobl Llundain, medd-yliodd. Peth hurt ydy rhyfel . . .

3.

Roedd Olaf Myhre yn siarad Almaeneg yn rhugl, ac roedd y gohebwyr eraill yn dibynnu arno am newydd-ion diweddaraf Berlin. Doedd dim ond un ffôn yn y swyddfa a phan ganai hwnnw roedd pawb yn disgwyl i Olaf ei ateb.

Roedd siopau'r brifddinas bron yn wag oherwydd y rhyfel, ond doedd dim eisiau dim byd ar Olaf Myhre. Roedd e'n smygu Lucky Strike o America a sigarennau du o Dwrci. Roedd e'n gwisgo crysau sidan o Japan ac yn bwyta ffrwythau ffres bob dydd. Dyn hael oedd e, ac roedd e'n barod i rannu popeth gyda'i ffrindiau.

"Mae popeth ar gael ar y farchnad ddu, Tyrone," esboniodd wrth yr Americanwr. "Os oes eisiau rhywbeth arnat ti, rho wybod i fi ar unwaith."

Wrth gwrs roedd Tyrone yn dibynnu ar Olaf am yr erthyglau roedd e'n eu hanfon i swyddfa bapurau Hearst yn Efrog Newydd. Fel arfer roedd Olaf yn paratoi dau fersiwn o'r un eitem; un i'w swyddfa yn Stockholm, ac un arall i swyddfa Tyrone yn America. Ond doedd e ddim yn cwyno o gwbl.

"Rydw i'n hapus i ymarfer fy Saesneg gyda ti," meddai wrth yr Americanwr. "Ar ôl y rhyfel fe fydda i'n ymweld â ti yn America, efallai."

Weithiau yn y nos byddai Olaf yn mynd â Tyrone i un o'r clybiau preifat yng nghanol y ddinas. Roedd y clybiau'n fywiog iawn ac yn llawn o ferched. Doedd dim llawer o ddynion ifainc gan fod y mwyafrif ohonyn nhw i ffwrdd yn y fyddin.

"Rwyt ti'n lwcus, Tyrone," meddai Olaf wrth yr Americanwr. "Beth yw dy oedran di?"

"Dwy ar hugain," atebodd y llall.

"Rwyt ti'n ifanc. Mae gwallt melyn 'da ti a llygaid glas. Mae merched y Trydydd Reich yn dwli ar lanciau fel ti."

Roedd hynny'n wir. Roedd Tyrone yn boblogaidd iawn yng nghlybiau Berlin. Roedd merched yn gofyn iddo ddawnsio gyda nhw a mynd â nhw adref.

"Mae Berlin fel marchnad gwartheg," meddai Tyrone un noson.

"Ydy," cytunodd Olaf dan wenu'n hapus. Weithiau byddai merch yn gofyn iddo fe ddawnsio hefyd!

Roedd Tyrone yn mwynhau ei fywyd newydd yn y brifddinas. Roedd digon o arian ganddo, cwmni da, miwsig, lager a gwin. Ond weithiau roedd e'n meddwl bod popeth yn rhy gyffyrddus, y merched yn rhy awyddus i blesio, a'i fywyd e'n ffug ac yn wag.

Yna cwrddodd â Miriam.

4.

Fel arfer roedd Olaf a Tyrone yn gadael y swyddfa am un o'r gloch ac yn mynd i gael aperitiff mewn bar yn yr un stryd â'r swyddfa. Ond un prynhawn doedd Olaf ddim yn gallu mynd allan gan ei fod e'n aros am alwad ffôn o Stockholm.

Roedd y tywydd yn glir ac oer, felly penderfynodd Tyrone fynd am dro i barc bach roedd e wedi'i weld o'r bws ar ei ffordd i'r gwaith. Doedd y parc ddim yn rhy bell i ffwrdd, kilometr efallai. Roedd digon o amser ganddo i fynd yno a bod yn ôl yn y swyddfa erbyn dau o'r gloch.

Cyrhaeddodd y parc am chwarter wedi un, ond tra oedd e'n mynd trwy'r glwyd cafodd gipolwg ar ferch oedd yn sefyll ar lan camlas y tu allan i'r parc.

Roedd gan y ferch wallt hir tywyll ac roedd hi'n gwylio hwyaid yn nofio ar y dŵr o'i blaen hi. Yn lle mynd i mewn i'r parc trodd Tyrone a mynd i sefyll wrth ochr y ferch.

"Guten Tag," meddai wrthi.

Throdd y ferch mo'i phen.

"Guten Tag," atebodd hi mewn llais tawel.

Petrusodd yr Americanwr am foment. Roedd e wedi cwrdd â llawer o ferched prydferth yng nghlybiau nos y ddinas, ond dim un mor brydferth â'r ferch hon. Roedd e'n gwybod nad oedd ei Almaeneg yn ddigon da i gynnal sgwrs gyda hi, felly:

"Mae'n oer iawn," meddai wrthi yn Saesneg.

"Ydy, mae'n oer," atebodd y ferch yn yr un iaith, ond ag acen Almaeneg.

Edrychodd Tyrone arni hi. Doedd hi ddim yn gwisgo cot fawr; dim ond sgyrt a siwmper.

"Felly, rydych chi'n siarad Saesneg," meddai fe.

"Ydw, tipyn bach."

Roedd hi'n dal i edrych ar yr hwyaid. Meddyliodd Tyrone ei bod hi tua dwy ar bymtheg neu ddeunaw oed.

"Ydych chi yn yr ysgol?" gofynnodd.

Siglodd y ferch ei phen. "Nac ydw."

"Ydych chi'n gweithio?"

"Ydw."

Roedd munud o ddistawrwydd. Yna gofynnodd y ferch yn sydyn,

"O ble rydych chi'n dod?"

"O'r Unol Daleithiau," atebodd Tyrone yn falch. "O Efrog Newydd."

Roedd e'n awyddus i wybod mwy am y ferch.

"Ble rydych chi'n gweithio?" gofynnodd iddi. "Mewn siop? Mewn ffatri?"

"Nage, gyda theulu."

Sylwodd Tyrone fod bysedd y ferch yn las.

"Mae'n rhy oer i aros yma," meddai. "Hoffech chi gael cwpanaid o goffi gyda fi? Mae caffe jyst rownd y gornel."

Trodd hi i'w wynebu am y tro cyntaf a gwelodd e ei bod hi'n gwisgo seren felen ar ei brest.

"Dydy hynny ddim yn bosibl," meddai wrtho â gwên drist. "Rydych chi'n gweld, Iddewes ydw i . . ."

5.

Drannoeth aeth Tyrone yn ôl at y gamlas. Y tro hwn roedd rhaid iddo aros am bum munud cyn i'r ferch ddod. Siaradon nhw am ugain munud. Dywedodd y ferch mai Miriam Jacob oedd ei henw a'i bod hi'n ddeunaw mlwydd oed. Siaradodd Tyrone am ei fywyd yn America cyn iddo ddod i Ewrop. Cwrddon nhw fel yna bob amser cinio am weddill yr wythnos.

Soniodd yr Americanwr ddim am y ferch wrth Olaf Myhre. Dywedodd wrtho ei fod e'n mynychu cwrs Almaeneg yn llysgenhadaeth yr Unol Daleithiau bob dydd am un o'r gloch. Doedd dim ots gan y dyn o Sweden.

"Gadewch inni fynd am aperitiff ar ôl y gwaith," awgrymodd.

"Pam lai?" atebodd Tyrone yn hapus. Roedd e wedi

bod yn teimlo'n euog achos doedd e ddim wedi bod yn gwbl onest gyda'i ffrind.

A dweud y gwir, roedd Miriam wedi cytuno i ddysgu peth Almaeneg iddo. Yn ei dro roedd Tyrone yn mynd â brechdanau at y gamlas. Ar y dechrau doedd y ferch ddim eisiau derbyn dim byd ganddo, ond roedd e'n benderfynol. Roedd wyneb Miriam yn denau. Roedd yn amlwg nad oedd hi'n cael digon i'w fwyta.

Dywedodd hi mai plentyn amddifad oedd hi. Roedd hi wedi treulio ei phlentyndod mewn cartref plant. Roedd hi wedi gwneud yn dda yn yr ysgol, ond doedd dim lle i Iddewon yng ngholegau'r Almaen o dan y system Natsïaidd. Felly roedd hi wedi mynd i weithio a byw gyda hen gwpl Iddewig. Roedd hi'n glanhau'r tŷ ac yn coginio iddyn nhw. Doedd hi ddim yn cael tâl am ei gwaith ond roedd hi'n bwyta gyda'r teulu ac roedd ei hystafell ei hunan ganddi.

Cafodd Tyrone sioc i glywed sut roedd y Natsïaid yn trin yr Iddewon. Doedd Iddew ddim yn gallu ymweld â theatr, na sinema, na pharc. Roedd llawer o siopau â'r arwydd JUDEN VERBOTEN (Dim Iddewon) yn y ffenestr.

Ond dywedodd Miriam fod y merched yn fwy lwcus na'r bechgyn, achos roedd y Natsïaid wedi mynd â llawer o'r bechgyn i ffwrdd mewn lorïau i weithio mewn ffatrïoedd neu wersylloedd, ac roedd eu teuluoedd wedi colli cysylltiad â nhw.

"Ond mae'n rhaid ichi wisgo'r Seren Dafydd yna trwy'r amser," meddai Tyrone yn chwerw.

"Oes," atebodd y ferch, a fflachiodd ei llygaid am eiliad. "Ond rwy'n falch o fod yn Iddewes."

Bob prynhawn roedd Miriam yn mynd adref ar ei phen ei hunan. Roedd Tyrone eisiau cerdded gyda hi, ond doedd y ferch ddim yn fodlon.

"Fe fydd rhywun yn gofyn cwestiynau," meddai hi. "Mae'n well fel hyn."

Cyn bo hir dechreuodd Miriam edrych ymlaen at bob amser cinio a'r siawns i gwrdd â'r Americanwr golygus. Yna, un prynhawn ar ei ffordd adref o'r gamlas, sylwodd hi fod dyn yn ei dilyn hi trwy'r strydoedd.

Dechreuodd hi gerdded yn gyflymach, ond pan gyrhaeddodd hi gartref roedd y dyn o fewn golwg o hyd.

Agorodd hi ddrws y tŷ ac aeth i mewn. Roedd ofn mawr arni. Pwy oedd y dyn yna — plismon? . . . Gestapo? A fyddai'n dod a churo ar y drws? Arhosodd hi yno am bum munud, â'i chalon yn curo fel drwm. Ond ddaeth neb.

Ond roedd Miriam wedi penderfynu'n barod na fyddai hi'n mynd i gwrdd â'r Americanwr eto.

6.

Sylwodd Olaf Myhre fod ei ffrind o America wedi newid. Roedd Tyrone yn dal i fynd allan ar ei ben ei hunan amser cinio, ond pan oedd e'n dod yn ôl i'r swyddfa am ddau o'r gloch roedd â'i ben yn ei blu, a

15

doedd e ddim yn dweud gair wrth neb.

Roedd yr awyrgylch yn y swyddfa wedi newid hefyd. Doedd y newyddion o Asia ddim yn dda; roedd gwleidyddion Japan ac America yn ffraeo'n gyhoeddus ynglŷn â phwy fyddai'n rheoli'r Cefnfor Tawel. Yn y swyddfa yn Berlin roedd Mr Yakamura yn trin Tyrone yn gwrtais, ond yn oeraidd. Doedd Tyrone ddim yn hoffi'r gohebydd o Japan o gwbl, ac roedd yn anodd iddo guddio ei deimladau.

Roedd Signor Cavallo'n dawel hefyd. Roedd e'n poeni am y sefyllfa yn y Cefnfor Tawel achos roedd teulu ganddo yn America. Pe bai rhyfel yn torri allan rhwng America a Japan byddai Hitler a Mussolini yn siŵr o gefnogi Japan. Doedd Signor Cavallo ddim eisiau gweld rhyfel rhwng America a'r Eidal.

Ond doedd Tyrone Davies ddim yn meddwl am bethau fel yna. Roedd e'n dal i feddwl am Miriam. Roedd pum diwrnod wedi mynd heibio heb iddo lwyddo i'w gweld hi. Roedd yr Americanwr yn mynd at y gamlas bob dydd, ond doedd Miriam ddim yn dod yno.

Sylweddolodd Tyrone fod y ferch yn bwysig iddo. Roedd yn meddwl amdani trwy'r dydd, ac roedd yn cysgu'n wael yn y nos. Beth oedd wedi digwydd iddi? Oedd hi'n sâl? Weithiau roedd e'n meddwl am y gwersylloedd, ac roedd ei waed yn troi'n oer.

Un amser cinio dilynodd Olaf e allan i'r stryd.

"Oes eisiau lifft arnat ti, Tyrone?" gofynnodd. "Mae'r car 'da fi."

"Dydw i ddim yn mynd i'r llysgenhadaeth heddiw,"

16

atebodd yr Americanwr yn gyflym. "Does dim dosbarth y prynhawn 'ma. Rwy'n mynd i'r parc."

"Does dim ots," meddai'r dyn o Sweden yn ddymunol. "Fe fydd y parc yn hyfryd yn yr haul."

Roedd yr haul yn gwenu ar y brifddinas, ond roedd wyneb Tyrone yn ddifrifol.

Tra oedden nhw'n gyrru trwy'r strydoedd dywedodd Olaf yn sydyn:

"Rwyt ti wedi newid, Tyrone. Oes rhywbeth yn bod?"

Siglodd yr Americanwr ei ben.

"Nac oes," meddai mewn llais tawel.

Cyrhaeddon nhw glwyd y parc. Roedd yr hwyaid yn nofio ar y gamlas fel arfer, ond doedd Miriam ddim wedi dod.

Diffoddodd Olaf beiriant y Mercedes a thaniodd sigarét.

"Ble fyddwn i heb Lucky Strike?" ochneidiodd yn hapus.

Aeth deng munud heibio. Roedd Tyrone yn syllu ar y gamlas. Roedd e'n teimlo'n ofnadwy.

Yn sydyn trodd Olaf Myhre ato fe.

"Rydw i wedi ceisio bod yn ffrind iti, Tyrone," meddai'n drist. "Pam ddywedaist ti gelwydd wrtho i?"

7.

Edrychodd yr Americanwr arno'n syn. Aeth Olaf yn ei flaen i egluro.

"Fe ddywedaist ti dy fod ti'n mynychu dosbarth Almaeneg yn y llysgenhadaeth," meddai. "Wel, mae ffrind 'da fi yn y llysgenhadaeth, a dydy e ddim wedi clywed am unrhyw ddosbarth Almaeneg."

Edrychodd Tyrone i ffwrdd.

"Roedd merch yn dysgu Almaeneg i fi," cyfaddefodd. "Roeddwn i'n cwrdd â hi yma ar lan y gamlas. Ond dydw i ddim wedi ei gweld hi ers wythnos. Mae hi wedi rhoi'r gorau i ddod i gwrdd â fi."

"Dyna pam rwyt ti wedi bod mewn tymer mor ddrwg?" gofynnodd Olaf.

"Ie," atebodd yr Americanwr dan gochi.

Chwythodd Olaf fwg at do'r Mercedes.

"Pwy ydy'r ferch?" gofynnodd.

Y tro yma penderfynodd Tyrone Davies ddweud y gwir.

"Iddewes ydy hi," atebodd.

Edrychodd ar ei ffrind, ond doedd wyneb Olaf yn dangos dim.

"Rydw i wedi syrthio mewn cariad â hi," dywedodd Tyrone.

Tynnodd Olaf y sigarét o'i geg.

"Dwyt ti ddim yn gall," sylwodd yn sych. "Dydy'r Iddewon ddim yn boblogaidd iawn yn yr Almaen."

"Rwy'n gwybod. Rwy eisiau mynd â hi i ffwrdd."

"I ble?"

"Wn i ddim. I'r Swistir efallai."

"Amhosibl," ebe Olaf. "Mae'n rhaid cael trwydded arbennig, ac mae hynny'n gostus."

"Beth pe bawn i'n ei phriodi hi?" gofynnodd yr

18

Americanwr.

"Fe fyddai hi'n diflannu yr un diwrnod," meddai Olaf. "Dydy'r Gestapo ddim yn hoffi i neb chwarae gêmau gyda nhw."

"Mae'n rhaid i fi gael gwybod beth sy wedi digwydd iddi hi," meddai Tyrone. "Efallai ei bod hi wedi diflannu'n barod. Fe af i i siarad â'r llysgennad Americanaidd. Rwy'n gwybod enw'r ferch."

Ochneidiodd Olaf Myhre yn ddwfn. Roedd Tyrone yn swnio'n benderfynol iawn. Byddai dyn ifanc fel ef yn gallu achosi llawer o drafferth i bawb. Penderfynodd y dyn o Sweden fod yn onest gydag e.

"Ar ôl siarad â fy ffrind yn y llysgenhadaeth Americanaidd," meddai, "fe ddechreuais i boeni amdanat ti. Un prynhawn fe ddilynais i ti i'r parc. Yno fe gwrddaist ti â merch. Pan aeth y ferch adref fe ddilynais i hi i weld lle roedd hi'n byw. Fe welodd hi fi. Dyna pam mae hi wedi peidio â mynd i'r parc."

Gwrandawodd Tyrone arno heb ddweud gair.

"Mae'n ddrwg gen i," meddai Olaf. "Ond roeddet ti'n newydd yn Berlin. Doeddwn i ddim eisiau dy weld ti'n cael helynt."

Trodd yr Americanwr ato'n sydyn.

"Ble mae hi'n byw?" gofynnodd gan ddal braich ei ffrind. "Mae'n rhaid i fi ei gweld hi eto."

Agorodd Olaf y ffenestr a thaflu'r sigarét ar y palmant.

"Mae hi'n byw mewn geto ar ben arall y parc," meddai. "Fe ro i'r cyfeiriad iti. Ond yn fy marn i fe fyddai'n well iti anghofio'r ferch 'na'n llwyr!"

8.

Y prynhawn yna ar ôl y gwaith aeth Tyrone ddim i gael yr aperitiff arferol gydag Olaf Myhre. Aeth ar y bws i'r parc ac wedyn croesodd y parc. Roedd hi bron yn nos.

Roedd y tai yr ochr arall i'r parc yn fach ac yn dlawd. Roedd llawer o ffenestri yn y geto wedi cael eu torri — gan fomiau, neu gerrig.

Doedd neb yn cerdded y strydoedd cul. Unwaith gwelodd Tyrone wraig yn sefyll wrth ei drws ffrynt, ond pan welodd hi e aeth hi'n syth i mewn i'r tŷ.

Cyrhaeddodd e gaffe bach a phenderfynodd fynd i mewn a gofyn am gyfeiriadau. Roedd dyn bach tywyll yn eistedd mewn cadair yng nghanol yr ystafell.

"Entschuldigen. Wo ist die Waldstrasse?" gofynnodd Tyrone.

Neidiodd y dyn bach ar ei draed. Roedd e wedi sylwi ar wallt melyn y dieithryn, ac roedd e'n teimlo'n nerfus iawn. Roedd yn meddwl mai plismon oedd Tyrone.

Aeth e â Tyrone yn ôl at y drws. Roedd y dyn bach yn siarad yn rhy gyflym i'r Americanwr ei ddeall yn iawn, ond cyfeiriodd â'i law at ben y stryd.

"Danke," meddai Tyrone dan wenu.

"Bitte schön." Roedd wyneb y dyn bach yn ddifrifol iawn. Roedd yn amlwg fod ofn mawr arno.

Aeth Tyrone ar ei ffordd. Wrth iddo gyrraedd y gornel gwelodd e'r arwydd ar y stryd nesaf: Waldstrasse. Pan gyrhaeddodd e rif 38 curodd ar y drws.

Clywodd lais hen wraig yn gweiddi ar Miriam a dechreuodd ei galon guro'n gyflymach. Roedd rhaid iddo aros am funud, yna agorwyd y drws.

"Tyrone!"

Roedd y ferch yn edrych yn brydferth iawn.

"Gaf i ddod i mewn?"

Petrusodd y ferch am foment.

"Mae'n rhaid i fi siarad â ti," meddai Tyrone. "Gaf i ddod i mewn am eiliad?"

Nodiodd Miriam ei phen. Symudodd hi i un ochr a gadael i'r Americanwr fynd i mewn i'r tŷ. Caeodd hi'r drws. Roedden nhw'n sefyll mewn coridor cul.

"Rwy wedi gweld dy eisiau," sibrydodd Tyrone.

Syrthiodd Miriam i mewn i'w freichiau, a chusanodd e hi'n dyner ar ei gwefusau.

"Pwy sy yno, Miriam?" gwaeddodd llais y wraig o'r ystafell ar y chwith.

"Ffrind, Frau Salaman. Peidiwch â phoeni. Fe awn ni lan llofft i'm stafell."

9.

Roedd ystafell Miriam yn oer. Doedd dim tân yno. Edrychodd yr Americanwr o'i gwmpas. Doedd dim llawer i'w weld: gwely, drych, cwpwrdd, silff lyfrau a llun bach o Miriam ei hunan.

"Eistedda," meddai Miriam wrtho.

Doedd dim cadair yn yr ystafell, felly eisteddodd Tyrone ar y gwely. Roedd y ferch yn gwenu'n nerfus.

21

Aeth hi at y ffenestr ac edrychodd allan ar y stryd.

"Ddylet ti ddim bod wedi dod yma," meddai hi. "Os bydd yr heddlu'n dy ddal di yn y geto . . ."

"Roedd rhaid i fi ddod," atebodd yr Americanwr. "Paid â phoeni. Wnân nhw ddim restio tramorwr."

"Mae'n rhaid bod yn ofalus iawn," meddai Miriam. "Dyna pam es i ddim yn ôl at y gamlas. Y tro diwethaf fe ddilynodd dyn fi'n ôl adref. Roedd ofn arna i, Tyrone."

Cymerodd Tyrone law'r ferch.

"Paid â phoeni," meddai dan wenu. "Ffrind i fi oedd y dyn yna."

Edrychodd Miriam arno'n syn. Aeth yr Americanwr yn ei flaen i esbonio am Olaf Myhre. Eisteddodd Miriam ar y gwely wrth ei ochr.

"Mae'n ffrind da," sylwodd hi. "Mae e'n poeni amdanat ti."

"Ydy," cytunodd Tyrone. "Mae Olaf yn ffrind da." Cusanodd e hi eto.

"Rwy'n poeni amdanat ti hefyd, Miriam," meddai'n dyner. "Rwy eisiau mynd â ti i America."

Gwenodd y ferch arno, ond roedd ei llygaid yn llawn dagrau. Cododd hi'n sydyn o'r gwely a mynd i agor drôr y cwpwrdd.

"Dyma fy ngherdyn adnabod," meddai gan estyn y ddogfen iddo.

Edrychodd Tyrone ar y cerdyn. Roedd y gair JUDE wedi'i stampio arno mewn llythrennau mawr.

"Fyddai'r Natsïaid ddim yn gadael i fi fynd," meddai Miriam yn drist.

"Ond alli di ddim aros yma," ebe Tyrone. "Rwyt ti'n byw bywyd ofnadwy."

Nodiodd Miriam ei phen ond ddywedodd hi'r un gair.

"Fe siarada i ag Olaf," meddai Tyrone. "Fe fydd e'n siŵr o feddwl am rywbeth."

Edrychodd ar wyneb y ferch.

"Fyddet ti'n barod i ddod gyda fi, Miriam?" gofynnodd, gan afael yn ei llaw hi.

"Byddwn," atebodd y ferch yn dawel, ond heb betruso.

Roedd meddwl Tyrone yn rhedeg yn wyllt. Byddai'n rhaid i'r ferch gael cerdyn adnabod newydd. Edrychodd ar y llun wrth ochr y gwely.

"Ga i fynd â'r llun yma, Miriam?" gofynnodd.

"Cei."

"Oes pensil 'da ti?"

Aeth y ferch i nôl pensil, ac ysgrifennodd Tyrone enw a chyfeiriad ei chwaer yn Brooklyn ar y cefn. Fel yna doedd e ddim yn rhoi Miriam mewn perygl.

"Cer at y gamlas bob amser cinio," meddai wrthi. "Fe geisia i ddod hefyd. Ond wnawn ni ddim siarad â'n gilydd nes bod newyddion 'da fi i ti. Wyt ti'n deall?"

"Ydw. Fe a i yno bob dydd."

Cododd Tyrone ar ei draed.

"Mae'n rhaid i fi fynd," meddai. "Mae parti yn llysgenhadaeth yr Unol Daleithiau heno."

"Diolch iti am ddod," ebe Miriam. Gwelodd Tyrone oleuni newydd yn ei llygaid. Goleuni gobaith.

23

10.

Roedd pen yr Americanwr yn llawn o syniadau tra oedd e'n cerdded yn ôl i'r parc, ond roedd y mwyafrif ohonyn nhw'n rhai ffôl. Roedd e'n benderfynol o fynd â Miriam allan o'r Almaen, ond doedd ganddo ddim cynllun sut. Roedd rhaid iddo siarad ag Olaf Myhre; dim ond Olaf a fyddai'n gallu rhoi help iddyn nhw.

Clywodd e wydr yn torri yn y pellter. Cyrhaeddodd e gornel y stryd a gwelodd grŵp o ddynion ifainc ryw ganllath i ffwrdd. Roedd y llanciau'n taflu cerrig trwy ffenestri tai a siopau. Roedden nhw'n chwerthin ac yn gweiddi: JUDEN RAUS! mewn lleisiau uchel.

Arhosodd Tyrone wrth y gornel. Doedd e ddim eisiau trafferth yma yn y geto. Ond roedd ei dymer yn codi bob eiliad. Roedd e'n meddwl am dŷ Miriam a'r teulu Salaman. Pe bai'r llanciau 'ma'n mynd i'r Waldstrasse . . .

Ond wrth lwc trodd y grŵp i gyfeiriad y parc. Doedden nhw ddim eisiau mynd yn bell i mewn i strydoedd cul y geto. Penderfynodd yr Americanwr eu dilyn nhw, ond heb fentro'n rhy agos.

Erbyn hyn roedd y grŵp yn canu caneuon Natsïaidd. Roedd rhai ohonyn nhw'n gwisgo dillad milwrol. Pan gyrhaeddon nhw'r ffordd fawr aeth y mwyafrif i mewn i gaffe, ond penderfynodd dau ohonyn nhw groesi'r ffordd a mynd i mewn i'r parc.

Aeth Tyrone ar eu hôl i'r tywyllwch.

Roedd e'n gallu eu dilyn nhw'n rhwydd achos roedden nhw'n siarad a chwerthin yn ddi-baid. Dechreuodd yr Americanwr gerdded yn gyflymach. Roedd yn teimlo'n ddig iawn ond roedd yn meddwl yn glir.

"Gute Nacht," meddai'n uchel.

Trodd un o'r dynion i weld pwy oedd yno. Bwriodd Tyrone ef â'i holl nerth. Y foment nesaf roedd yr Almaenwr yn gorwedd ar y ddaear dan riddfan.

"Was ist . . .?" Orffennodd yr ail ddyn mo'r frawddeg. Milwr oedd e, ond doedd ei brofiad milwrol ddim yn gallu ei helpu nawr. Roedd Tyrone Davies wedi dysgu ymladd ar strydoedd Brooklyn, ac roedd wedi dysgu'n dda.

Ciciodd e'r Almaenwr yn ei fola a syrthiodd y milwr i'r llawr dan besychu. Ciciodd Tyrone eto ac aeth y dyn yn ddistaw.

Penliniodd yr Americanwr wrth ochr y milwr. Ymhen eiliad roedd wedi dod o hyd i'w lawddryll a'i roi yn ei boced.

Cododd Tyrone ar ei draed ac edrych o'i gwmpas. Doedd neb i'w weld. Cerddodd allan o'r parc heb edrych yn ôl.

11.

"Felly, rwyt ti eisiau gweld ffrynt Rwsia," meddai Olaf Myhre.

"Ydw," atebodd Tyrone. "Fydd rhaid i fi gael caniatâd arbennig?"

"Bydd."

Roedd Olaf yn eistedd y tu ôl i'w ddesg yn y

swyddfa ac roedd yr Americanwr yn eistedd gyferbyn ag e. Roedd Olaf yn smygu sigarét Ffrengig ond roedd pecyn o Lucky Strike ar y ddesg o'i flaen.

"Siarada â Signor Cavallo," awgrymodd wrth Tyrone. "Mae ffrindiau 'da fe yn y gwasanaeth propaganda." Edrychodd Olaf ar ei wats. "Mae'n un o'r gloch," meddai. "Amser cinio. Rwy'n dy wahodd di i aperitiff yn y caffe. Mae fy nghar y tu allan i'r swyddfa."

Unwaith eu bod yn y car roedd y ddau ddyn yn gallu siarad yn agored. Rhai misoedd ynghynt roedd Olaf wedi darganfod meicroffon bach y tu ôl i'r golau yn y swyddfa. Dyna sut roedd yr heddlu cudd yn cadw llygad ar y gohebwyr, â help Mr Yakamura efallai.

"Sut roeddwn i?" gofynnodd Tyrone â gwên fach nerfus.

"Perffaith. Pan fydd y Gestapo yn clywed dy fod ti am ymweld â ffrynt Rwsia fydd dim problem o gwbl. Wedyn fydd dim problem i'm ffrindiau i rwbio'r gair Rwsia i ffwrdd a gosod y Swistir yn ei le."

Taniodd Olaf sigarét. Roedd e'n meddwl yn ddwys.

"Rwy'n gobeithio dy fod ti'n siŵr am dy benderfyniad, Tyrone," meddai. "Fe fyddi di'n mentro dy fywyd wrth geisio dianc gyda'r ferch."

"Rwy'n siŵr. Rwy wedi cael llond bol o'r Almaen erbyn hyn."

Chwarddodd Olaf yn chwerw.

"Mae llawer o Almaenwyr yn teimlo'r un fath," sylwodd.

Trodd yr Americanwr ato.

26

"Wel, pam dydyn nhw ddim yn gwneud dim byd 'te?" gofynnodd.

"Oherwydd y Gestapo, yr SS, Mudiad Ieuenctid Hitler," atebodd y dyn o Sweden. "Mae ysbïwyr ar bob cornel; ym mhob teulu efallai."

"Rwyt ti'n mentro tipyn wrth roi help i mi," ebe Tyrone.

"Paid â phoeni amdana i," atebodd Olaf. "Ti sy'n mentro dy fywyd."

Cododd yr Americanwr ei ysgwyddau.

"Rwy'n barod i farw dros Miriam," meddai'n syml.

"Ond wyt ti'n siŵr ei bod hi'n deall y sefyllfa?"

"Ydy. Mae hi'n deall nad oes dyfodol iddi hi yn y wlad 'ma."

Tynnodd Olaf yn ddwfn ar ei sigarét. Roedd Tyrone wedi dweud y gwir.

"Fe fydd eisiau papurau ffug arni hi," meddai wrth Tyrone.

"Bydd. Fydd dy ffrindiau di'n gallu trefnu hynny hefyd?"

"Fe fydd eisiau llun o'r ferch i ddechrau."

Tynnodd Tyrone lun Miriam o'i boced a'i ddangos i'w ffrind.

"Wel, wel," gwenodd Olaf. "Rwyt ti wedi meddwl am bopeth."

"Rwy'n dysgu'n gyflym," atebodd Tyrone yn ddifrifol.

Rhoddodd Olaf y llun ym mhoced ei got fawr.

"Rhaid iti ymddiried yno i a'm ffrindiau," meddai.

"Wrth gwrs, Olaf."

"Mae'n rhaid i ni ymddiried ynot ti, hefyd," sylwodd Olaf â gwên fach.

Edrychodd Tyrone arno'n syn. Doedd e ddim yn deall.

"Ymddiried yno i?"

"Ie, Tyrone. Ti'n gweld, weithiau mae'r Gestapo yn cyflogi pobl fel ti i osod magl i bobl fel fi . . ."

12.

Roedd Signor Cavallo yn fodlon helpu'r Americanwr ifanc i gael caniatâd i ymweld â ffrynt Rwsia cyn y Nadolig. A dweud y gwir, person dymunol iawn oedd Cavallo. Fel llawer o Eidalwyr doedd e ddim yn hoffi'r rhyfel. Roedd e eisiau byw mewn heddwch; ond yn anffodus roedd Mussolini, unben yr Eidal, a'i giwed o ffasgiaid wedi penderfynu cefnogi'r Almaen yn y rhyfel yn erbyn Prydain a Rwsia.

Roedd gan Cavallo lawer o ffrindiau yn Berlin. Aeth yn syth i ffonio ffrind yn y gwasanaeth propaganda.

Fore trannoeth am ddeg o'r gloch roedd Tyrone Davies yn sefyll o flaen adeilad mawr yng nghanol y brifddinas yn dangos ei gerdyn adnabod i filwr oedd yn gwisgo dillad swyddogol yr SS. Edrychodd y milwr yn ofalus ar y cerdyn cyn gadael iddo fynd i mewn i'r adeilad.

Aeth Tyrone i mewn i neuadd lle roedd milwr arall yn eistedd y tu ôl i ddesg fawr.

"Entschuldigen," meddai Tyrone. "Major von

Stahl?"

Cyfeiriodd y milwr at ddrws yng nghornel y neuadd.

"Danke," meddai Tyrone, ond roedd y milwr wedi colli diddordeb yn barod.

Roedd arwydd ar y drws: Major Conrad von Stahl, Propaganda.

Curodd Tyrone ddwywaith ar y drws.

"Ja . . .?"

Agorodd Tyrone y drws ac aeth i mewn.

Roedd dyn tua deugain oed yn sefyll wrth y ffenestr. Symudodd at ddesg yng nghanol yr ystafell a gwelodd Tyrone ei fod e'n gloff.

"Herr Davies?"

Nodiodd yr Americanwr ei ben.

"Eisteddwch. Felly chi sy eisiau ymweld â ffrynt Rwsia," ebe'r uwchgapten mewn Saesneg perffaith.

"Ie . . . Syr."

Roedd llygaid llym yr Almaenwr yn syllu arno.

"Pam ydych chi eisiau mynd i le mor beryglus?" gofynnodd.

Cododd Tyrone ei ysgwyddau.

"Rwy'n gweithio i bapurau newydd Randolph Hearst," atebodd. "Mae pobl America eisiau gwybod popeth am y rhyfel yma yn Ewrop."

"Dydy'r bomio yn Berlin ddim yn ddigon iddyn nhw?"

"Fe ddisgrifiais i'r bomio pan oeddwn i yn Llundain," atebodd Tyrone heb ostwng ei lygaid.

"Beth am y bomio yn Llundain?" gofynnodd von

29

Stahl yn sydyn. "Oedd y Luftwaffe yn effeithiol?"

"Oedd," atebodd Tyrone heb betruso. Allai fe ddim dweud bod awyrennau'r Reichsmarschall Göring yn aneffeithiol!

Gwenodd von Stahl yn oeraidd.

"Pam dydych chi ddim yn dweud y gwir wrtho i, Herr Davies?" meddai.

Tra oedd Tyrone yn chwilio am ateb neidiodd yr Almaenwr yn sydyn ar ei draed gan daflu ei gadair yn ôl yn erbyn wal y swyddfa. Doedd e ddim yn gwenu nawr.

"Hoffech chi wybod beth rydw i'n feddwl o wasg America?" gofynnodd yn grac.

Ddywedodd Tyrone yr un gair.

"Fwlturiaid ydych chi i gyd!" Roedd y swyddog yn gweiddi erbyn hyn, ac roedd ei wyneb yn goch.

Daeth i sefyll wrth ochr cadair yr Americanwr a meddyliodd hwnnw fod yr Almaenwr yn mynd i roi ergyd iddo.

"Ie. Fwlturiaid ydych chi," meddai'r swyddog eto, a theimlodd Tyrone boer yr Almaenwr ar ei wyneb. "Fwlturiaid sy'n rhwygo cyrff milwyr yr Almaen, yn llarpio eu llygaid . . .!"

Roedd Tyrone yn teimlo'n nerfus iawn. Roedd e'n gallu teimlo ei dymer e'n codi hefyd ond doedd e ddim eisiau digio rhagor ar von Stahl. Heb help yr Almaenwr fyddai dim trwydded deithio iddo fe a dim siawns am ryddid i Miriam.

Wrth lwc canodd y ffôn ac roedd rhaid i von Stahl ei ateb. Roedd y swyddog ar y ffôn am bum munud, a phan roddodd y derbynnydd i lawr roedd e wedi anghofio ei ddicter yn llwyr!

"Pryd rydych chi eisiau gadael Berlin am y ffrynt?" gofynnodd i Tyrone.

"Ymhen wythnos, os bydd hynny'n bosibl, Herr Major."

Cymerodd von Stahl ddogfen o ddrôr y ddesg a dechrau ysgrifennu arni.

"Iawn, y degfed o Ragfyr, felly. Fe fydd Capten Bock yn aros amdanoch chi yn yr orsaf am naw o'r gloch y bore. Fe fydd e'n mynd gyda chi ar y trên."

Estynnodd e'r ddogfen i Tyrone.

"Danke," ebe'r Americanwr yn barchus.

"Rydych chi'n lwcus, Herr Davies," meddai'r milwr. "Fel rydych chi'n gwybod, dydyn ni ddim yn hoffi i ddieithriaid grwydro o gwmpas ein gwlad ni. Ond, wrth gwrs, mae papurau newydd Hearst yn ddylanwadol yn yr Almaen fel maen nhw ym mhob rhan arall o'r byd."

13.

Aeth yr wythnos heibio'n araf iawn. Ond roedd gan Tyrone ddigon i'w wneud. Roedd y swyddfa'n brysur iawn ac yn ei amser rhydd roedd rhaid i'r Americanwr chwilio am ddillad cynnes i Miriam ar gyfer y daith. Doedd dim cot fawr ganddi, a byddai hynny'n tynnu sylw pobl ar y daith gan fod y tywydd yn troi mor oer.

Roedd y Natsïaid yn apelio ar bobl yr Almaen i

anfon dillad cynnes i'r milwyr ar ffrynt Rwsia. Felly doedd dim llawer o ddillad ar ôl yn y siopau. Ond doedd hynny ddim yn broblem i Olaf Myhre. Rhoddodd e restr o enwau a chyfeiriadau i Tyrone.

"Maen nhw i gyd yn barod i werthu ar y farchnad ddu," meddai wrth yr Americanwr. "Rho'r rhestr ar dy gof ac wedyn llosga hi."

Ymwelodd Tyrone â thri o'r dynion ar y rhestr cyn dod o hyd i got fawr addas i'r ferch. Roedd yn ddrud iawn, ond doedd dim dewis ganddo. Roedd e'n dechrau poeni am arian erbyn hyn. Doedd e ddim eisiau mynd a gofyn am help i lysgenhadaeth yr Unol Daleithiau yn Berlin. Roedd Almaenwyr yn gweithio yno hefyd, ac roedd yn bosibl bod ysbïwr yn eu mysg. Na, byddai'n rhaid iddo droi at Olaf Myhre eto.

Roedd yr amser yn mynd heibio'n arafach byth i Miriam Jacob. Roedd hi'n mynd allan bob amser cinio at y gamlas ac yn gweld Tyrone yn y pellter, ond doedden nhw ddim yn siarad â'i gilydd o gwbl.

Fel roedd y dyddiau'n mynd heibio heb newyddion, roedd y ferch yn digalonni. Doedd pethau ddim yn dda yn y geto. Roedd mwy o bobl wedi diflannu'n ddiweddar. Doedd neb yn mentro allan ar ôl iddi dywyllu.

Bob nos, cyn mynd i'r gwely, roedd Miriam yn mynd ar ei phenliniau ac yn gweddïo dros yr Americanwr ifanc oedd yn mentro ei fywyd drosti hi.

Roedd Olaf Myhre yn poeni hefyd. Roedd e'n trefnu popeth gyda'i ffrindiau ymhlith gelynion y Reich, ond doedd e ddim yn siŵr a fyddai'r cynllun yn gweithio. Oedd digon o amser ganddyn nhw i gyn-hyrchu papurau ffug i Miriam a Tyrone? Pe bai'r Americanwr a'r Iddewes yn cael eu dal gan y Gestapo . . . Weithiau roedd gwaed Olaf yn fferru.

Aeth dyddiau Rhagfyr heibio: y pedwerydd, y pumed, y chweched . . .

Yna, ar fore'r seithfed daeth y newydd brawychus o'r Cefnfor Tawel.

14.

Synnodd Tyrone wrth weld car Olaf o flaen drws y fflat. Agorodd Olaf ddrws y Mercedes iddo ac aeth Tyrone i mewn.

"Oes rhywbeth yn bod, Olaf?" gofynnodd yn bryderus.

Tynnodd Olaf y sigarét o'i geg.

"Oes," meddai. "Mae Roosevelt wedi cyhoeddi rhyfel yn erbyn Japan."

Syllodd Tyrone arno.

"Ond pam?" gofynnodd.

"Y bore 'ma fe ymosododd awyrennau Japan ar eich llynges chi yn Pearl Harbour."

Dechreuodd meddwl Tyrone redeg yn wyllt. Sut byddai'r newyddion yn effeithio arno fe a Miriam?

"Beth am Hitler?" gofynnodd i'r dyn o Sweden.

Cododd Olaf ei ysgwyddau.

"Dydy Hitler ddim wedi ymateb eto," meddai. "Fe fydd e'n cysylltu â Mussolini cyn penderfynu dim."

"Os bydd rhyfel rhwng yr Almaen ac America . . ." Roedd Tyrone yn meddwl yn uchel.

"Fe fydd ar ben arnat ti," meddai Olaf. Tynnodd yn ddwfn ar ei sigarét. "Wyt ti eisiau anghofio'r holl beth?"

"Nac ydw!" Roedd llais yr Americanwr bron yn grac.

"Wel, mae'n rhaid inni ddod â'r cynllun ymlaen dipyn," ebe Olaf. "Gwranda arna i'n ofalus . . ."

"Signor Cavallo . . .?"

Cododd yr Eidalwr ei ben.

"Ie?"

Eisteddodd Tyrone mewn cadair o flaen y ddesg lle roedd Cavallo'n gweithio.

"Rydw i wedi penderfynu ysgrifennu erthygl am y bomio yn Berlin cyn cychwyn am y ffrynt. Rydw i eisiau gweld y bomio drosof fy hun."

Chwarddodd yr Eidalwr.

"Dydw i erioed wedi cwrdd â rhywun fel chi, Signor Davies," meddai. "Rydych chi eisiau mentro eich bywyd chi bob dydd."

"Dyna fy ngwaith i," meddai Tyrone yn sych.

Siglodd Cavallo ei ben.

"Na," atebodd. "Cymerwch gyngor gen i. Arhoswch yn ddiogel dan ddaear ac ysgrifennwch eich erthygl yno."

Ond roedd golau rhyfedd yn llygaid yr Americanwr.

"Os bydd bomio heno," meddai, "rwy'n mynd allan i ddisgrifio beth sy'n digwydd!"

Wrth lwc, daeth awyrennau Prydain i fomio Berlin y noson honno. Am ddeg o'r gloch gwisgodd Tyrone ei got fawr a gadael y fflat am y tro olaf. Aeth e â dim byd gydag e — dim arian, dim newid sanau, dim brws dannedd. Roedd Olaf Myhre wedi bod yn bendant am hynny.

Tra oedd e'n cerdded trwy'r strydoedd roedd y bomiau'n disgyn ar y brifddinas ac roedd yr awyr yn llawn fflachiau a fflamiau. O'r diwedd cyrhaeddodd e stryd o'r enw Bergstrasse. Pan ddaeth o hyd i rif 71 curodd dair gwaith ar y drws. Agorwyd y drws yn araf a gwelodd e hen wraig yn sefyll yno.

"Tyrone Davies," meddai wrthi.

Nodiodd hi ei phen a dilynodd e hi i mewn i'r tŷ. Aeth hi ag e i lawr y grisiau i seler lle roedd grŵp o bobl yn eistedd o gwmpas lamp. Roedd y seler yn oer a llaith.

Aeth Tyrone i eistedd yn y cysgodion yng nghornel yr ystafell. Ddywedodd neb air wrtho fe.

15.

Pan aeth Miriam at y gamlas y prynhawn hwnnw welodd hi mo Tyrone. Arhosodd y ferch tan hanner awr wedi dau, ond yn ofer. Aeth hi adref yn drist. Doedd hi ddim wedi siarad â'r Americanwr ers dyddiau lawer ond roedd hi wedi bod yn hapus dim ond i'w weld e yn y pellter. Fel yna, roedd hi'n gwybod bod popeth yn iawn.

Pan aeth yr wythfed o Ragfyr heibio hefyd heb iddi weld Tyrone dechreuodd hi boeni'n fawr. Beth oedd wedi digwydd . . . Oedd e wedi cael ei restio? Oedd e wedi cael ei anafu yn ystod y bomio? Aeth y nawfed o Ragfyr heibio hefyd heb unrhyw newyddion. Doedd hi erioed wedi teimlo mor unig. Roedd hi'n dal i weddïo dros yr Americanwr bob nos, ond nawr roedd clustog y gwely'n wlyb gan ei dagrau.

Yn y cyfamser roedd Tyrone yn byw mewn math o freuddwyd — neu hunllef yn hytrach. Roedd pob person yn y seler yn cuddio rhag y Gestapo. Roedd pedwar dyn yno, a dwy wraig. Roedd un o'r dynion yn hen ac yn sâl, ac roedd peswch ofnadwy arno.

Doedd dim tân yn y seler, dim ond y lamp. Roedden nhw i gyd yn teimlo'n oer iawn trwy'r amser. Y noson gyntaf rhoddodd Tyrone ei got fawr i'r hen ŵr; roedd yn well ganddo deimlo'n oer na chlywed yr hen ŵr yn pesychu fel yna.

Doedd dim llawer ganddynt i'w fwyta chwaith. Unwaith y diwrnod roedd yr hen wraig, perchennog y tŷ, yn dod â chawl iddyn nhw a sawl darn o fara sych. Roedd y cawl yn boeth ond dim ond ychydig o datws oedd ynddo a doedd dim cig o gwbl.

Roedd Tyrone yn poeni am Miriam trwy'r amser ac yn hiraethu amdani. Roedd yn flin ganddo nad oedd e wedi cael cyfle i siarad â hi cyn "diflannu"; dim cyfle i siarad am y dyfodol. Ond wrth gwrs, pe bai cynllun Olaf yn methu fyddai dim dyfodol iddyn nhw.

Ar fore'r degfed o Ragfyr canodd y ffôn yn swyddfa Olaf Myhre am hanner awr wedi naw. Cododd Olaf y derbynnydd.

"Hylo. Pwy sy'n siarad?"

"Herr Davies?"

Dechreuodd calon Olaf guro'n gyflymach.

"Nage. Olaf Myhre yma."

"Rwy'n ffonio o'r gwasanaeth propaganda, Herr Myhre. Von Stahl ydy fy enw i — Major von Stahl. Fe ddylai Herr Davies fod wedi dal trên y bore 'ma am naw o'r gloch, ond ddaeth e ddim."

"Rwy'n gweld, Herr Major," meddai Olaf yn ddifrifol. "Arhoswch am foment, os gwelwch yn dda. Yakamura . . . !"

Daeth y dyn o Japan i mewn i'r swyddfa.

"Ie?" meddai.

"Mae Major von Stahl o'r gwasanaeth propaganda ar y ffôn. Mae e'n gofyn am Tyrone Davies."

Cymerodd Yakamura y ffôn.

"Bore da, Herr Major," meddai. "Beth ydy'r broblem?"

Esboniodd von Stahl eto ei fod e eisiau siarad â Tyrone Davies.

"Dydy hynny ddim yn bosibl, Herr Major," atebodd y dyn o Japan â gwên fach. "Aeth Herr Davies allan yn ystod y bomio dair noson yn ôl. Dydyn ni ddim wedi ei weld e ers hynny . . . Nac ydy, dydy e ddim mewn unrhyw ysbyty . . . Wrth gwrs, Herr Major, rydyn ni wedi cysylltu â'r heddlu yn barod."

Ochneidiodd Yakamura yn ddwfn ond roedd e'n dal i

37

wenu. "Ydy, Herr Major," cytunodd. "Mae'n amlwg fod Herr Davies wedi marw . . ."

16.

Roedd y pedwerydd dydd wedi mynd heibio heb i Miriam weld yr Americanwr. Roedd hi'n ymddwyn fel robot. Roedd hi'n gwneud y gwaith tŷ fel arfer, ond roedd hi wedi colli diddordeb mewn popeth.

Ar noson y degfed o Ragfyr clywodd hi rywun yn curo ar ddrws ffrynt y tŷ.

"Miriam!"

Agorodd y ferch ddrws ei hystafell wely.

"Peidiwch â phoeni, Frau Salaman. Fe af i."

Aeth i lawr y grisiau ac agor y drws ffrynt. Roedd dyn tal yn sefyll yno; roedd e'n gwisgo cot fawr drwchus rhag yr oerni. Roedd car wedi'i barcio o flaen y tŷ.

"Fräulein Jacob?"

"Ie."

"Mae'n rhaid ichi ddod gyda fi."

"Mynd gyda chi . . .?" Roedd ofn mawr ar y ferch. "Ond i ble?"

"Does dim amser i ofyn cwestiynau," ebe'r dyn yn llym. "Dewch ar unwaith!"

Clywodd hi rywun yn symud lan lofft.

"Miriam, beth sy'n digwydd?" gwaeddodd Herr Salaman o ben y grisiau.

Doedd y ferch ddim eisiau achosi trafferth i'r hen

gwpl. Dilynodd hi'r dyn tal i'r car gan gau drws y tŷ y tu ôl iddi. Roedd hi'n siŵr na fyddai hi'n gweld y tŷ eto. Roedd pobl y stryd yn cuddio y tu ôl i'w llenni; fydden nhw ddim yn gwneud dim i'w helpu hi.

"I'r cefn," meddai'r dyn. Agorodd e'r drws a gwthio'r ferch i mewn.

Eisteddodd y dyn yn y sedd flaen a chychwynnodd y peiriant. Gyrron nhw drwy strydoedd y geto, a phan gyrhaeddon nhw'r ffordd fawr trodd y gyrrwr y car i gyfeiriad canol y ddinas. Roedd Berlin i gyd mewn tywyllwch rhag ofn awyrennau Prydain, ac roedd rhaid i'r dyn yrru'n ofalus iawn.

Yna, troion nhw gornel a gweld grŵp o filwyr ar ochr y ffordd yn dal lampau ac yn stopio'r traffig.

"Tynnwch eich Seren Dafydd," meddai'r dyn yn sydyn.

"Beth?"

"Cuddiwch hi o dan y sedd," ebe'r dyn. "Brysiwch. Mae cot fawr ar y sedd wrth eich ochr. Mae cerdyn adnabod newydd ichi yn y boced."

Stopiodd y car o flaen un o'r milwyr. Gostyngodd y gyrrwr ei ffenestr. Yr ochr arall i'r ffordd roedd swyddog yn gweiddi gorchmynion mewn llais crac.

"Eich papurau chi," meddai'r milwr.

"Oes problem?" gofynnodd y gyrrwr yn ddymunol gan estyn y papurau iddo.

"Nac oes . . ." Edrychodd y milwr ar y papurau. "Felly, Olaf Myhre yw eich enw chi a gohebydd papur newydd ydych chi."

Nodiodd Olaf ei ben.

"Ie," meddai. "Rwy ar fy ffordd i'r orsaf."

Ond roedd y milwr wedi troi ei sylw at y ferch hardd yn y sedd gefn. Roedd Miriam yn dal i chwilio am ei phapurau ym mhocedi'r got fawr. Roedd ei chalon yn curo fel drwm.

"Beth ydy enw'r swyddog 'na — yr un sy'n gweiddi trwy'r amser?"' gofynnodd Olaf yn sydyn.

"Capten yr S.S. ydy e," atebodd y milwr. "Capten Donat."

"A! Donat," gwenodd Olaf. "Rwy'n ei nabod e'n iawn. Rwy wedi ei helpu e i gerdded adref o'r *Lleuad Las* mwy nag unwaith."

Agorodd llygaid y milwr yn eang. Roedd gan glwb nos y *Lleuad Las* enw drwg iawn.

"Donat . . . yn meddwi?" gofynnodd.

Nodiodd Olaf ei ben.

"Mae e'n hoffi'r merched hefyd," ychwanegodd gyda winc. "Unrhyw ferch . . ."

Roedd y milwr wedi anghofio'r ferch yng nghefn y car. Roedd stori dda ganddo i'w dweud wrth y milwyr eraill.

"Ewch ar eich ffordd, Herr Myhre," meddai wrth y dyn o Sweden. "Nos da!"

Gyrrodd Olaf i ffwrdd gan sychu'r chwys oddi ar ei dalcen. Doedd e ddim wedi cwrdd â Chapten Donat erioed yn ei fywyd . . .

Ymhen hanner awr cyrhaeddon nhw stryd gul. Trodd Olaf i mewn i'r stryd a stopio'r car ond heb ddiffodd y peiriant.

Agorodd drws un o'r tai ar y chwith a daeth dyn

allan. Aeth e'n syth at y car.

"Cer i'r cefn," meddai Olaf. "Brysia. Rydyn ni wedi colli amser yn barod."

Agorodd y dyn y drws ac aeth i mewn. Trodd Miriam ac edrych arno.

"Tyrone!"

Rhoddodd yr Americanwr ei freichiau o'i chwmpas a'i chusanu'n dyner. Ond roedd Olaf Myhre yn meddwl am bethau pwysicach.

"Mae papurau ffug 'da Miriam," meddai. "Dagmar Sachs ydy ei henw newydd ac mae hi'n gweithio yn y gwasanaeth propaganda yma yn Berlin. Ond nawr mae hi'n gofalu amdanat ti ar dy daith di, Tyrone. Mae cyfeiriad y daith wedi newid tipyn erbyn hyn, wrth gwrs. Dwyt ti ddim ar dy ffordd i ffrynt Rwsia ond i ffin y Swistir."

"Diolch iti am bopeth," meddai Tyrone, gan ddal y ferch yn dynn yn ei freichiau.

Taniodd Olaf sigarét.

"Gyda llaw, Tyrone," meddai. "Ble mae dy got fawr?"

"Roedd dyn sâl iawn yn y seler," esboniodd yr Americanwr. "Fe adawais i fy nghot gyda fe."

Ochneidiodd Olaf yn ddwfn.

"Rwyt ti'n anobeithiol, Tyrone," meddai. "Fe fydd rhaid iti gymryd fy nghot i."

Dechreuodd yr Americanwr brotestio, ond dywedodd Olaf yn llym:

"Does dim amser 'da ni i ddadlau am got fawr, Tyrone. Mae trên yn gadael am München am chwarter

41

awr wedi un ar ddeg. Mae'n rhaid i chi'ch dau fod ar y
trên yna!"

17.

Diolch i'r papurau ffug roedd Olaf wedi'u rhoi iddyn
nhw, chawson nhw ddim trafferth i gymryd y trên am
München. Doedd dim llawer o deithwyr ar y trên a
llwyddon nhw i ddod o hyd i gompartment gwag.

Roedd Miriam yn teimlo'n rhy nerfus i gysgu, ond
ar ôl tair noson yn y seler oer roedd yr Americanwr yn
teimlo'n gyffyrddus iawn yn y trên cynnes, a chysgodd
e heb unrhyw drafferth.

Daeth plismon unwaith yn ystod y nos ac edrych ar
bapurau'r teithwyr, ond roedd yn amlwg ei fod e'n
flinedig iawn achos rhoddodd e'r dogfennau'n ôl iddyn
nhw heb eu hagor.

"Hyd yn hyn rydyn ni wedi bod yn lwcus iawn,"
meddai Miriam.

Rhwbiodd Tyrone ei lygaid.

"Roedd y plismon yn lwcus hefyd," atebodd yn
sych. "Mae gwn 'da fi, Miriam."

Chwiliodd yn ei boced a daeth â phecyn lliwgar
allan. Pecyn o sigarennau oedd e.

"Mae Olaf wedi anghofio ei Lucky Strike," meddai.

Gwenodd Miriam arno.

"Mae Olaf wedi bod yn ffrind da inni," sylwodd hi.

Caeodd Tyrone ei lygaid.

"Ydy," cytunodd. "Un o'r goreuon. Ond mae

42

diwrnod hir o'n blaen ni, Miriam. Ceisia gysgu."

Cyrhaeddon nhw München am naw o'r gloch y bore. Disgynnon nhw o'r trên gyda'r teithwyr eraill. Edrychodd Tyrone o'i gwmpas am foment, yna cerddodd at amserlen fawr ar wal yr orsaf.

"Chwilia am Kempten neu Bregenz," meddai wrth y ferch. "Maen nhw ar y ffordd i'r Swistir."

Edrychodd Miriam yn ofalus ar yr amserlen.

"Dyna Bregenz," meddai hi. "Mae trên am hanner awr wedi deg, trên araf. Mae e'n stopio ym mhob tref ar y ffordd."

"Iawn," atebodd yr Americanwr. "Mae bron awr a hanner yn sbâr 'da ni. Fe awn ni i weld München."

Edrychodd y ferch arno'n syn.

"Gweld München?"

"Pam lai?" atebodd e. "Os arhoswn ni yma heb fagiau fe fydd rhywun yn dechrau gofyn cwestiynau."

Chwarter awr yn ddiweddarach roedden nhw'n eistedd mewn neuadd enfawr, yr Hofbrauhaus yng nghanol y dref. Roedd y lle'n llawn o filwyr a dynion busnes ac roedd gweinyddesau pert yn dod â diodydd a brechdanau iddyn nhw.

Archebodd Tyrone ddau goffi a dwy frechdan salami. Edrychodd ar Miriam. Doedd hi ddim yn edrych yn hapus o gwbl.

"Mae'n rhaid iti ymlacio," meddai'r Americanwr. "Rwyt ti'n ddiogel gyda fi."

"Dydw i ddim yn gallu ymlacio yn y lle 'ma."

"Ond pam?" gofynnodd e.

"Dechreuodd Adolf Hitler ei yrfa wleidyddol yn y neuadd 'ma," esboniodd y ferch. "Rwy'n casáu Hitler; felly rwy'n casáu'r Hofbrauhaus hefyd . . ."

Roedd mwy o deithwyr ar yr ail drên nag ar y trên o Berlin, ac roedd rhaid iddyn nhw rannu compartment am y tro cyntaf. Ond pan gyrhaeddon nhw Kempten gwagiodd y compartment yn sydyn ac roedden nhw'n gallu siarad Saesneg am sbel. Soniodd Tyrone am ei obeithion am y dyfodol.

"Fe fydd rhaid inni aros yn y Swistir am ychydig," meddai. "Efallai y ca i gynrychioli papurau Hearst yno."

"A beth amdana i?" gofynnodd y ferch.

"O, fydd dim problem o gwbl. Ar ôl inni . . ."

"Entschuldigen Sic bitte . . ."

Trodd Tyrone ei ben mewn fflach. Roedd dyn mawr wedi agor y drws a dod i mewn i'r compartment. Edrychodd Miriam allan ar yr eira oedd yn dechrau disgyn ar y caeau. Ond roedd Tyrone yn syllu ar y bathodyn roedd y dieithryn yn ei wisgo ar ei got fawr. Swastica oedd e — bathodyn y Blaid Natsïaidd!

18.

Roedd Miriam wedi cael cipolwg ar y bathodyn hefyd ac oerodd ei gwaed. Roedd aelodau'r Blaid Natsïaidd yn ffyddlon iawn i'r mudiad ac i Hitler ei hunan. Oedd y dyn wedi eu clywed nhw'n siarad Saesneg? Os oedd y dyn yn eu drwgdybio nhw byddai'n galw ar yr heddlu i'w restio.

Ond doedd y dyn yn cymryd dim sylw ohonyn nhw. Tynnodd e lyfr o boced ei got fawr a dechrau ei ddarllen. Edrychodd Tyrone allan o'r ffenestr. Roedd y trên wedi dechrau dringo ac roedd e'n gallu gweld mynyddoedd yn y pellter. Roedd niwl yn cuddio copaon y mynyddoedd; niwl ac eira.

Yn sydyn rhoddodd y dieithryn y llyfr i lawr ar y sedd a gofynnodd i Miriam yn Almaeneg:

"Ydych chi'n mynd yn bell?"

Roedd y ferch â'i chalon yn ei gwddf, ond penderfynodd hi ddweud y gwir.

"I'r Swistir."

Nodiodd yr Almaenwr ei ben i gyfeiriad Tyrone.

"Mae gan eich ffrind acen Americanaidd, on'd oes?" gofynnodd.

"Oes," atebodd Miriam yn dawel.

"Cyn y rhyfel fe ddaeth grŵp o Americanwyr i ymweld ag ysbyty Ulm," meddai'r dyn. "Dyna sut rwy'n adnabod yr acen. Meddyg ydw i."

"O . . ." Roedd Miriam yn rhy nerfus i siarad.

"O ba ran o America mae e'n dod?" gofynnodd y meddyg.

Yn ffodus roedd Tyrone yn deall y cwestiwn.

"O Efrog Newydd," meddai. "Brooklyn."

Nodiodd yr Almaenwr ei ben a chododd y llyfr eto. Sylwodd Tyrone fod y trên yn arafu. Edrychodd drwy'r ffenestr a gwelodd lori yn sefyll wrth ochr y rheilffordd. Roedd grŵp o filwyr a phlismyn yn sefyll

45

o flaen y lori. Pan stopiodd y trên daeth dau blismon i mewn, ond arhosodd y milwyr y tu allan gan gyfeirio eu gynnau at ffenestri'r trên.

Clywodd Miriam y drysau'n clepian tra oedd y plismyn yn dod trwy'r trên yn gofyn i bob teithiwr am ei bapurau. Roedd hi a Tyrone wedi tynnu eu dogfennau ffug allan yn barod, ond pan gyrhaeddodd y plismyn eu compartment nhw neidiodd y meddyg ar ei draed. Yr un eiliad aeth llaw'r Americanwr i mewn i'r boced lle roedd e'n cadw'r dryll.

"Eich papurau chi!" gwaeddodd un o'r plismyn. Yna gwelodd e'r swastica ar frest y meddyg. "O, esgusodwch fi, Syr," meddai'n barchus.

Dangosodd y meddyg ei bapurau iddo.

"Fel y gwelwch chi," meddai, "meddyg ydw i." Trodd a nodiodd ei ben i gyfeiriad Miriam a Tyrone. "Mae'r nyrs yn fy helpu i ofalu am y dyn 'na."

Edrychodd y plismon arno heb ddeall.

"Gwyddonydd ydy e," esboniodd y meddyg. "Mae e wedi bod yn gweithio'n rhy galed yn ddiweddar. Mae e'n sâl yn ei feddwl. Rydyn ni'n mynd â fe i glinig yr S.S. yn y mynyddoedd."

Trodd y plismon at ei bartner. Doedden nhw ddim yn siŵr beth i'w wneud.

"Mae'r gwyddonydd 'ma'n werthfawr iawn i gynlluniau'r Führer," meddai'r meddyg. "Mae e'n gweithio ar arfau cyfrinachol fydd yn ennill y rhyfel i'r Reich. Dydw i ddim eisiau i chi ei boeni e o gwbl. Os bydd e'n troi'n ffyrnig, chi fydd yn gyfrifol i'r Führer!"

Cymerodd yr ail blismon bapurau'r meddyg ac edrych arnyn nhw'n ofalus cyn eu rhoi nhw'n ôl iddo.

"Iawn," meddai o'r diwedd. "Chi ydy'r meddyg, Herr Doktor. Mae'n rhaid inni barchu eich barn chi."

Yna trodd y ddau ddyn ar eu sodlau a mynd ymlaen i'r compartment nesaf.

19.

Wrth i'r drws gau, cododd y meddyg ei lyfr eto a dechrau darllen fel pe na bai dim byd wedi digwydd. Trodd Miriam ac esboniodd bopeth wrth yr Americanwr. Erbyn hyn roedd y trên wedi cychwyn eto. Trodd hi'n ôl at y meddyg a dweud:

"Doedd dim rhaid ichi ein helpu ni fel yna, Herr Doktor. Mae papurau adnabod 'da ni."

Rhoddodd y dyn ei lyfr i lawr.

"Yn wir? Gaf i weld, os gwelwch yn dda?"

"Wrth gwrs."

Rhoddodd hi'r dogfennau iddo. Astudiodd y meddyg nhw am funud, yna rhoddodd e nhw'n ôl i'r ferch.

"Mae eich papurau chi'n iawn, Fräulein," meddai â gwên fach. "Gwasanaeth Propaganda yn wir!" Yna aeth ei wyneb yn ddifrifol. "Yn anffodus, fydd Herr Davies ddim yn gallu croesi'r ffin gyda'r ddogfen 'ma."

Edrychodd Miriam arno'n syn.

47

"Ond pam?" gofynnodd hi.

"Awr yn ôl fe gyhoeddodd yr Unol Daleithiau ryfel ar yr Almaen," meddai'r meddyg. "Mae'r heddlu wedi dechrau restio Americanwyr yn barod. Esboniwch hynny wrth Herr Davies."

Gwrandawodd Tyrone yn ofalus ar eiriau'r ferch ac aeth ei wyneb yn dywyll. Nid Miriam ond fe'i hun oedd y broblem nawr.

Edrychodd Miriam ar y meddyg.

"Rydych chi'n aelod o'r Blaid Natsïaidd," meddai hi. "Pam oeddech chi'n barod i roi help i ni?"

Gwenodd y dyn yn wan.

"Mae'n rhaid i bob meddyg ymuno â'r Blaid Natsïaidd," atebodd. "Yn y dechrau roedd rhai yn gwrthod ymuno, felly fe gollon nhw eu swyddi. Doeddwn i ddim mor ddewr â nhw; rydw i'n dal i weithio. Ond dydw i ddim yn hoffi'r Natsïaid o gwbl. Dyna pam yr helpais i chi."

Cymerodd e'r llyfr a'i osod yn ei boced.

"Fe fydda i'n disgyn o'r trên yn yr orsaf nesaf," meddai. "Gaf i roi cyngor ichi?"

"Cewch, wrth gwrs."

"Ymhen chwarter awr fe fydd y trên yn mynd trwy goedwig drwchus, yna fe fydd e'n dechrau dringo rhiw serth. Weithiau mae'r bobl sy'n byw yn y ffermdai ar lethrau'r mynydd yn neidio allan o'r trên pan fydd e'n arafu, yn lle mynd mor bell â'r ffin. Os neidiwch chi hefyd, gyda lwc fydd neb yn sylwi arnoch chi. Mae'r llwybrau ar ochr dde'r cwm yn arwain yn syth at ffin y Swistir."

Cododd y dyn ar ei draed. Roedden nhw'n cyrraedd ei orsaf.

"Ceisiwch osgoi heddlu'r ffin," meddai'r meddyg yn sych. "Fel arfer maen nhw'n saethu heb rybudd . . ."

20.

Fel roedd y meddyg wedi'i ddweud, aeth y trên drwy goedwig drwchus ac yna dechreuodd ddringo i fyny'r cwm oedd yn arwain at ffin y Swistir.

Cododd Tyrone ar ei draed.

"Mae'n rhaid i fi fynd," meddai wrth y ferch. "Arhosa di ar y trên. Fe groesi di'r ffin heb drafferth. Fe geisia i gwrdd â ti heno neu bore 'fory."

Ond cododd Miriam hefyd.

"Rwy'n mynd gyda ti, Tyrone," meddai hi'n dawel ond yn bendant.

Cododd yr Americanwr ei ysgwyddau. Roedd eu cynlluniau wedi mynd o chwith. Trwy geisio helpu Miriam roedd e wedi rhoi ci bywyd hi mewn perygl. Agorodd e ddrws y compartment ac aethon nhw i mewn i'r coridor heb ddweud gair.

Daethon nhw o hyd i ddrws allanol a disgwyl yno nes i'r trên arafu. Gwelodd Miriam fod wyneb Tyrone yn drist, a gwenodd hi arno.

"Paid â phoeni," meddai hi. "Mae'r eira'n drwchus fan yma. Fe fyddwn ni'n glanio'n ddiogel."

Roedd yr Americanwr yn edrych trwy ffenestr y

drws. Roedd y trên yn arafu bob eiliad.

"Wyt ti'n barod, Miriam?"

"Ydw."

Agorodd Tyrone y drws. Yr eiliad yna clywodd Miriam gamau yn y coridor. Roedd milwr ifanc yn dod atyn nhw yn cario reiffl ar ei ysgwydd. Trodd hi'n ôl at y drws. Roedd Tyrone wedi neidio'n barod.

Phetrusodd y ferch ddim. Taflodd ei hunan drwy'r drws agored a glaniodd ar yr eira meddal wrth ochr y rheilffordd.

"Hei . . .!"

Edrychodd hi i fyny. Roedd y milwr yn sefyll wrth y drws. Oedd e'n mynd i saethu ati?

"Fe anghofiaist ti gau'r drws, Fräulein!" gwaeddodd y milwr gan roi clep iddo. "Bydd yn fwy gofalus y tro nesaf. Heil Hitler!"

Erbyn hyn roedd y trên wedi mynd heibio. Cododd Miriam ei llaw ar y milwr ifanc. Yna aeth i ymuno â Tyrone.

21.

Ymhen yr awr roedden nhw wedi cyrraedd bwlch yn y mynyddoedd. Roedd hi'n dal i fwrw eira ac roedd hi'n dechrau tywyllu. Doedden nhw ddim yn gallu gweld yn bell ond roedd Tyrone yn gwybod bod rhaid iddyn nhw ddal i ddringo.

Roedd Miriam yn teimlo'n flinedig iawn. Roedd hi wedi cael bywyd caled yn Berlin a doedd hi ddim mor gryf â'r Americanwr.

"Paid â phoeni," meddai Tyrone wrthi. "Pwysa arna i. Dydy'r ffin ddim yn bell."

A dweud y gwir, doedd dim syniad gan Tyrone pa mor bell oedd y ffin, ond doedd e ddim eisiau i Miriam ddigalonni. Bydden nhw'n rhewi ar y mynydd yn y nos.

Yn sydyn clywson nhw leisiau dynion yn y pellter. Roedd y dynion yn siarad Almaeneg.

"Fan yma," meddai Tyrone gan ddal braich y ferch. Roedd yn rhy hwyr.

"Halt . . . Halt!" Roedd lleisiau'r dynion mor oer â'r eira.

Tynnodd Tyrone hi ar ei ôl, ond roedd hi'n rhy flinedig i gymryd cam arall.

"Tyrone," erfyniodd hi. "Mae'n rhaid i fi orffwys am foment."

Rhoddodd e ei freichiau o gwmpas ei chorff hi. Ond yn sydyn tynnodd Miriam i ffwrdd oddi wrtho. Edrychodd e arni hi'n syn. Roedd hi wedi tynnu'r dryll o boced ei got fawr ac roedd hi'n cyfeirio'r dryll ato fe.

"Miriam, beth rwyt ti'n wneud?" gofynnodd e.

"Cer ymlaen," meddai hi. "Achub dy hunan!"

"Miriam, paid â bod mor hurt."

Ond fel ateb trodd y ferch y dryll at ei brest ei hunan.

"Cer ymlaen," gwaeddodd hi. "Neu fe ladda i fy hunan! *Cer ymlaen!*"

Doedd dim dewis ganddo. Roedd ei gynllun wedi

troi'n hunllef. Aeth e ymlaen i fyny'r llethr. Clywodd e'r lleisiau eto, yna aeth ei waed yn oer. Roedd rhywun yn saethu — Crac, crac, crac . . .

Ar ôl y chweched ergyd aeth y dryll yn ddistaw. Torrodd rhywbeth ym meddwl yr Americanwr a dechreuodd e redeg yn ôl i lawr y llethr. Ond trawodd ei droed yn erbyn carreg a theimlodd ei hun yn syrthio . . .

22.

Agorodd Tyrone ei lygaid yn araf. Roedd popeth o'i gwmpas yn wyn. Eira?

Nage; nid eira ond waliau gwyn. Trodd ei ben i'r chwith a gwelodd ddyn bach yn eistedd wrth ochr y gwely gan syllu arno.

Roedd y dyn yn smygu sigarét ac yn edrych trwy bapurau ffug Tyrone â diddordeb. Roedd wyneb y dyn yn denau ac roedd ei lygaid mor finiog â llygaid carlwm.

"Maddeuwch i fi," ebe'r dyn bach yn sydyn. "Fe anghofiais i brynu sigarennau y bore 'ma. Rydw i wedi agor eich pecyn o Lucky Strike. Roedden nhw ar y bwrdd gyda gweddill eich stwff chi. A dweud y gwir, Herr Davies, rydw i'n dwli ar sigarennau American- aidd."

Roedd y dyn yn siarad Saesneg, ond ag acen gref.

Ceisiodd Tyrone godi o'r gwely, ond teimlodd boen ofnadwy yn ei goes chwith.

"Rydych chi wedi torri'ch coes," ebe'r dyn bach. "Fe dreulioch chi noson yn yr eira ond rydych chi'n ifanc a heini. Fyddwch chi ddim yn cymryd amser hir i wella, yn ôl y meddyg."

"Ble rydw i?" gofynnodd Tyrone.

"Yn yr ysbyty."

"Rwy'n gwybod hynny," ebe Tyrone yn grac. "Ond ble — yn yr Almaen?"

Siglodd y dyn ei ben.

"Nage, yn y Swistir," meddai. "Gobeithio bod hynny'n iawn gennych chi. Does dim llawer o bobl yn ceisio dianc o'r Swistir i'r Almaen!"

Cododd calon yr Americanwr tipyn.

"Roedd merch gyda fi," meddai. "Roedden ni'n ceisio croesi'r ffin gyda'n gilydd. Mae'n rhaid i fi gysylltu â'r heddlu."

Chwythodd y dyn bach fwg at y ffenestr.

"Fournier ydy fy enw i," meddai. "A phlismon ydw i."

Llwyddodd Tyrone i godi dipyn ar y glustog er gwaethaf y poen.

"Miriam Jacob ydy enw'r ferch," meddai. "Ond roedd enw ffug ar ei phapurau hi."

Tynnodd Fournier lyfr nodiadau o'i boced frest a'i agor.

"Miriam Jacob, neu Dagmar Sachs," meddai. "Fe gafodd hi ei restio gan ein milwyr neithiwr."

"Ei restio?" Cododd ysbryd Tyrone yn syth. Felly doedd Miriam ddim wedi marw.

"Do." Diffoddodd Fournier ei sigarét yn y blwch

llwch. "Roedd dryll 'da hi. Fe saethodd hi at ein dynion ni, ond wrth lwc chafodd neb ei anafu."

"Roedd hi . . . roedden ni'n meddwl mai milwyr Almaenig oedden nhw," esboniodd Tyrone. "Fe dynnodd Miriam y dryll o boced fy nghot fawr. Roedd hi'n ceisio achub fy mywyd i!"

Cododd Fournier ei ysgwyddau.

"Beth bynnag," meddai. "Fe aethon nhw â hi i garchar Zürich y bore 'ma."

Erbyn hyn roedd pen Tyrone yn dechrau troi.

"Beth fydd yn digwydd nawr?" gofynnodd.

"I chi?"

"Nage, nid i fi, i'r ferch."

"Fe fydd hi'n cael ei hanfon yn ôl i'r Almaen," ebe Fournier. "Mae ei phapurau hi'n ffug, heb sôn am y saethu neithiwr."

"Ond mae'n rhaid ichi wneud rhywbeth!" ebe Tyrone. Roedd ei lais yn codi bob eiliad. "Roedd Miriam yn ceisio achub fy mywyd i!"

Gwenodd Fournier yn wan.

"Dim ond plismon ydw i, Herr Davies," meddai. "Y gwleidyddion sy'n penderfynu pethau fel yna."

"Mae'n rhaid i fi siarad â rhywun — â'r llysgennad Americanaidd," gwaeddodd Tyrone.

Cododd y plismon ar ei draed.

"Fe sonia i am eich stori yn fy adroddiad swydd-ogol," meddai. "Efallai y bydd rhywun yn Zürich yn cymryd sylw, ond dydw i ddim yn obeithiol. Mae trosedd Fräulein Jacob yn ddifrifol iawn."

Aeth e at y drws, yna trodd yn ôl yn sydyn.

"Mae'n ddrwg gen i," meddai. "Rydw i wedi mynd â'ch sigarennau chi."

Edrychodd Tyrone ar y pecyn o Lucky Strike yn llaw'r plismon.

"Cymerwch nhw," meddai'n ffyrnig. "Dydw i ddim yn smygu . . ."

23.

Ar ôl y sgwrs â'r plismon, Fournier, roedd bywyd Tyrone Davies yn hunllef. Doedd e ddim yn gallu gadael ei wely oherwydd ei goes, a doedd neb yn yr ysbyty yn siarad Saesneg yn iawn.

Roedd e'n awyddus iawn i ddefnyddio'r ffôn, ond doedd hynny ddim yn bosibl. Doedd dim ffôn ar y llawr yna, a doedd neb yn barod i fynd ag e i'r swyddfa i fyny'r grisiau. Gorffwys, gorffwys, gorffwys, dyna'r unig air o Saesneg roedd y meddygon a'r nyrsys yn ei wybod.

Roedd e'n teimlo ei fod e mewn magl. Ysgrifennodd e lythyr at y llysgenhadaeth yn Bern, ond chafodd e ddim ateb. Trwy'r amser roedd e'n edrych trwy ffenestr ei ystafell ar y mynyddoedd gwyn ac yn meddwl am Miriam. Pam roedd hi wedi cymryd y gwn? Pam? . . . Pam?

Weithiau roedd e'n meddwl ei fod e'n mynd yn wallgof. Oedd e yn y Swistir, neu yn yr Almaen o hyd? Oedd y Gestapo wedi paratoi popeth er mwyn dal ei ffrindiau, fel Olaf Myhre a'r meddyg ar y trên hefyd?

Yna, un prynhawn gwelodd e gar mawr du yn gyrru i mewn i faes parcio'r clinig. Pan welodd e faner yr Unol Daleithiau arno dechreuodd ei galon guro'n gyflymach.

Daeth dau ddyn allan o'r car. Roedd un ohonyn nhw'n gwisgo siwt dywyll ddrud ac roedd y llall yn gwisgo dillad sarjant yr heddlu milwrol. Arhosodd y sarjant wrth y car gan bwyso ar y bonet ac agor pecyn o gym. Daeth y dyn arall yn syth at ddrws ffrynt yr ysbyty.

Ymhen munud agorwyd drws Tyrone a daeth y dyn yn y siwt dywyll i mewn.

"Mr Davies?" gofynnodd yn Saesneg.

"Ie."

"Joe Harrison ydw i — ysgrifennydd i'r llysgennad, Matthew Birch. Doedd y llysgennad ddim yn gallu dod. Mae annwyd arno fe."

Edrychodd Tyrone arno'n syn. Doedd e ddim wedi disgwyl i'r llysgennad ei hun ddod. Eisteddodd Harrison wrth ochr y gwely. Tynnodd becyn o Gauloises o'i boced frest. Taniodd un ohonyn nhw a dechrau pesychu ar unwaith.

"Rydych . . . rydych chi wedi achosi llawer o drafferth i'r llysgennad," meddai wrth Tyrone pan oedd e wedi cael ei anadl yn ôl.

"Fi?"

"Wel, nid chi yn bersonol," cyfaddefodd Harrison. "Ond y plismon 'na, Fournier."

"Fournier?" Roedd Tyrone bron wedi anghofio'r dyn bach.

56

"Ie. Fe ddaeth e i'r llysgenhadaeth i siarad â ni amdanoch chi. Wrth gwrs, roedden ni wedi clywed amdanoch chi'n barod ac roedden ni'n gwybod eich bod chi'n ddiogel yn yr ysbyty 'ma. Felly doeddech chi ddim yn broblem i ni ar y pryd."

Tynnodd ar y Gauloise eto, heb besychu'r tro 'ma ond heb lawer o bleser chwaith.

"Wedyn fe soniodd Fournier am y ferch oedd wedi croesi'r ffin gyda chi."

"Miriam Jacob," meddai Tyrone, a dechreuodd ei galon guro'n gyflymach.

"Ie, Miriam. Dywedodd Fournier y stori wrtho i. Fe wrandawais i gyda diddordeb, ond doeddwn i ddim yn gallu helpu o gwbl. Roedd y llysgennad i ffwrdd am yr wythnos a doeddwn i ddim yn gallu ei boeni e."

Rhoddodd Tyrone ei ben ar y glustog. Roedd e'n teimlo'n flinedig iawn. Felly, roedd y plismon bach wedi ceisio helpu, ond yn ofer.

Roedd Harrison yn dal i siarad.

"Dyna pryd wnes i'r camgymeriad cyntaf," meddai dan ochneidio. "Fe adawais i Fournier ffonio asiantaeth Reuters o'r llysgenhadaeth. Fe adroddodd e'r stori wrthyn nhw gan dynnu sylw arbennig at ddewrder y ferch a sut roedd hi wedi ceisio achub eich bywyd chi."

Rhwbiodd Harrison ei dalcen cyn mynd yn ei flaen.

"Fe gysylltodd Reuters yn Zürich â phapurau Hearst yn Llundain. Cyn bo hir fe ges i alwadau ffôn o Fleet Street i ofyn a oedd y stori'n wir. Roedd rhaid i fi gadw Fournier yn y llysgenhadaeth dros dro i ateb yr ymholiadau."

Edrychodd yn drist ar y pecyn o Gauloises.

"Mae'r plismon 'na'n hoff iawn o sigarennau Americanaidd," meddai. "Ac mae e'n smygu'n ddi-baid. Dyna pam rydw i'n gorfod smygu Gauloises yn lle fy sigarennau arferol."

"Beth am Miriam?" gofynnodd Tyrone yn eiddgar.

"Wel," meddai Harrison. "Fe gysylltodd papurau newydd Hearst yn Llundain â'u prif swyddfa yn Efrog Newydd i ddweud bod Iddewes ifanc brydferth wedi achub bywyd un o hoff ohebwyr Randolph Hearst ar ôl taith beryglus trwy'r Drydedd Reich. Ond nawr roedd awdurdodau'r Swistir yn bwriadu anfon y ferch yn ôl i'r Almaen i gael ei lladd gan y Gestapo!"

Stopiodd am foment i gymryd anadl.

"Ymhen yr awr roedd papurau Hearst Efrog Newydd wedi cysylltu â'r Tŷ Gwyn yn Washington. Beth roedd yr Arlywydd Roosevelt yn mynd i'w wneud am y mater? Fore trannoeth fe ges i alwad ffôn o'r Tŷ Gwyn. 'Ble mae'r llysgennad?' gofynnon nhw. 'Ar ei wyliau,' meddwn i. Ac aeth hi'n yfflon o draed moch arna i wedyn."

Eisteddodd Tyrone i fyny yn y gwely.

"Ond beth am Miriam?" gofynnodd eto.

Diffoddodd Harrison ei sigarét.

"Mae Miriam yn iawn," atebodd. "Mae hi allan o'r carchar. Mae hi'n aros yn y llysgenhadaeth am y tro."

"Ond beth am y dyfodol? Fydd hi'n gorfod mynd yn ôl i'r Almaen?"

Siglodd Harrison ei ben.

"Na fydd," meddai. "Pan fo'r Tŷ Gwyn yn cicio
. . . yn rhoi gorchymyn i Matthew Birch, mae e'n
gweithredu ar unwaith. Mae llywodraeth y Swistir
wedi cytuno i anghofio'r holl fater — y papurau ffug, y
saethu . . . popeth. Mae Miriam yn gweithio'n swydd-
ogol i bapurau Hearst ac fe fydd hi'n derbyn trwydded
deithio Americanaidd cyn bo hir. Gyda llaw, mae hi
wedi anfon y cerdyn 'ma atoch chi."

Tynnodd e gerdyn o'i boced a'i roi i Tyrone. Llun o
Bern oedd e, ac ar y cefn roedd Miriam wedi
ysgrifennu: "Gwella'n fuan. Rwy'n dy garu di."

Cododd Harrison ar ei draed.

"Mae'r llysgennad yn edrych ymlaen at gwrdd â chi,
Mr Davies," meddai. "Fe fydd rhaid ichi ymweld â ni
yn Bern pan fyddwch chi wedi gwella."

Cymerodd e'r Gauloises a'u rhoi nhw yn ei boced.
Yna gwenodd am y tro cyntaf.

"Ond peidiwch â dod â Monsieur Fournier gyda
chi," meddai. "Fe fyddai'r plismon yna'n gwerthu ei
fam-gu am becyn o Lucky Strike . . .!"

GEIRFA DDETHOL
SELECT VOCABULARY

acen *accent*
achosi *to cause*
achub *to save*
adfail (adfeilion) *ruin*
adrodd *to tell*
adroddiad *report*
addas *suitable*
addo *to promise*
adeilad (-au) *building*
aelod (-au) *member*
agwedd *attitude*
Almaen, yr *Germany*
allanol *external*
allwedd (-i) *key*
amddifad *orphan*
amddiffyn *to defend*
amlwg *obvious*
amserlen *timetable*
anadl *breath*
anafu *to injure*
anffodus *unfortunate*
anghofio *to forget*
anobeithiol *hopeless*
arafu *to slow*
archebu *to order*
arfau *arms*
arferol *usual*
Arlywydd *President*
arwain *to lead*
arwydd (-ion) *sign*
asiantaeth *agency*
astudio *to study*
awdurdodau *authorities*
awgrymu *to suggest*
awyddus *eager*
awyren (-nau) *aeroplane*
awyrgylch *atmosphere*

baner (-i) *flag*
barn *opinion*
bathodyn (-nau) *badge*

blin *sorry*
blinedig *tired*
blwch llwch *ashtray*
bodlon *willing*
bola *stomach*
brawychus *terrifying*
brechdan (-au) *sandwich*
breuddwyd (-ion) *dream*
bwlch *pass*
bwriadu *to intend*
bwrw *to hit*
bwydlen *menu*
byddin *army*
bywiog *lively*

cadarn *firm*
calon *heart*
call *sensible*
cam *step*
camgymeriad *mistake*
camlas *canal*
caniatâd *permission*
canllath *100 yards*
carchar *prison*
carlwm *weasel*
carreg (cerrig) *stone*
casáu *to hate*
cawl *soup, stew*
Cefnfor Tawel, y *Pacific Ocean*
cefnogi *to support*
celwydd (-au) *lie*
cer! *go!*
cerdyn adnabod *identity card*
cipolwg *glimpse*
ciwed *rabble*
clep *slam*
clepian *to slam*
cloff *lame*
clustog (-au) *pillow, cushion*
cochi *to blush*
coedwig *forest*

60

cof *memory*
copa *peak*
crac *angry*
croesi *to cross*
crwydro *to wander*
cryf *strong*
cudd *secret*
cuddio *to hide*
cul *narrow*
cusanu *to kiss*
cwbl *entirely*
cwm (cymoedd) *valley*
cwrtais *courteous*
cwyno *to complain*
cyfaddef *to admit*
yn y cyfamser *in the meantime*
cyfeillgar *friendly*
cyfeiriad *direction, address*
cyfeirio *to point*
cyfle *opportunity*
cyflogi *to employ*
cyflwyno *to introduce*
cyfrifol *responsible*
cyfrinach (-au) *a secret*
cyfrinachol *secret*
cyffyrddus *comfortable*
cyngor *advice*
cyhoeddi *to declare, announce*
cyhoeddus *public*
cymeriad *character*
cynhyrchu *to produce*
cynllun (-iau) *plan*
cynnal sgwrs *to hold a conversation*
cynnil *subtle*
cynrychioli *to represent*
cysylltiad *contact*
cysylltu â *to contact*
cytuno *to agree*

chwerw *bitter*
chwys *sweat*
chwythu *to blow*

dadlau *to argue*
darganfod *to discover*
derbynnydd *receiver*

deugain *forty*
deulawr *two-storey*
deunaw *eighteen*
dewr *brave*
dewrder *bravery*
dianc *to escape*
di-baid *incessant*
dicter *anger*
diddordeb *interest*
dieithryn *stranger*
diflannu *to disappear*
difrifol *serious*
diffodd *to put out, switch off*
dig *angry*
digalonni *to lose heart*
digio *to offend, to become angry*
dilyn *to follow*
dinistrio *to destroy*
diod *drink*
dioddef *to suffer*
diogel *safe*
disgrifio *to describe*
disgyn *to descend*
distaw *silent*
distawrwydd *silence*
diweddarach *later*
dogfen (-nau) *document*
drosodd *over*
drud *expensive*
drwgdybio *to suspect*
drych *mirror*
dryll *gun*
dwfn *deep*
dwli ar *to be crazy about*
dwys *intense*
dychmygu *to imagine*
dyfodol *future*
dylanwadol *influential*
dymunol *pleasant*

eang *wide*
Efrog Newydd *New York*
effeithio ar *to affect*
effeithiol *effective*
egluro *to explain*
Eidal, yr *Italy*

61

er gwaethaf *in spite of*
erbyn hyn *by now*
erfyn *to plead*
ergyd *blow, shot*
ers tro byd *for a long while*
erthygl *article*
esbonio *to explain*
esgusodi *to excuse*
estron (-iaid) *foreigner*
estyn *to reach, to pass*
euog *guilty*

fel arall *otherwise*
fel arfer *as usual, usually*
fwltur (-iaid) *vulture*

ffasgiad (ffasgiaid) *fascist*
fferru *to freeze*
ffin *border*
ffodus *fortunate*
ffraeo *to quarrel*
ffug *false*
ffyddlon *loyal*
ffyrnig *fierce*

gafael (yn) *to take hold (of)*
galwad *call*
geiriadur *dictionary*
gelyn *enemy*
glanhau *to clean*
glanio *to land*
gobaith *hope*
gobeithiol *hopeful*
gofalu am *to look after*
gofalus *careful*
gohebydd *reporter*
goleuni *light*
golwg *sight*
golygus *handsome*
gorau (goreuon) *best*
gorchymyn (gorchmynion)
    command
gorfod *to have to*
gorsaf *station*
gostwng *to lower*
griddfan *to groan*

gwaeth *worse*
gwag *empty*
gwagio *to empty*
gwahodd *to invite*
gwallgof *mad*
gwan *weak*
gwartheg *cattle*
gwasg *press*
gwddf *throat*
gweddïo *to pray*
gwefus (-au) *lip*
gweinyddes *waitress*
gweithredu *to act*
gweld eisiau *to miss*
gwella *to get better*
gwenu *to smile*
gwersyll *camp*
gwerthfawr *valuable*
gwleidydd *politician*
gwleidyddol *political*
gwrthod *to refuse*
gwydr *glass*
gwyddonydd *scientist*
gwyliau *holidays*
gwylio *to watch*
gwyllt *wild*
gyferbyn *opposite*
gyrfa *career*

hael *generous*
heddlu *police*
heddwch *peace*
heini *fit*
helynt *trouble*
hiraethu am *to long for*
hunllef *nightmare*
hurt *stupid*
hwyaden (hwyaid) *duck*
yn hytrach *rather*

Iddew(es) *Jew(ess)*
Iwerddon *Ireland*

llaith *damp*
llanc (-iau) *youth*
llarpio *to devour*

llawddryll *pistol*
lledr *leather*
llethr (-au) *slope*
lliwgar *colourful*
lloches *shelter*
llond bol *bellyful*
llonydd *quiet*
llwybr (-au) *path*
llwyddo *to succeed*
llwyr *complete*
llynges *fleet*
llym *sharp*
llysgenhadaeth *embassy*
llysgennad *ambassador*
llywodraeth *government*

maes parcio *car park*
magl *trap*
main *keen, slender*
marchnad *market*
meddwi *to get drunk*
meddwl *mind; to think*
meddyg *doctor*
megis *as if*
mentro *to risk, to venture*
milwrol *military*
miniog *sharp*
mudiad *movement*
Mudiad Ieuenctid *Youth Movement*
mwg *smoke*
mwyafrif *majority*
mynychu *to attend*
mysg: yn eu mysg *among them*

nerth *strength*
neuadd *hall*
niwl *mist*
nodiadau *notes*
nofio *to swim*
nôl *to fetch*

o chwith *wrong*
o gwbl *at all*
ochneidio *to sigh*
oedran *age*
ofer *vain*

oherwydd *because (of)*
osgoi *to avoid*

palmant *pavement*
parchu *to respect*
parchus *respectful, respectable*
pecyn *packet*
peiriant *engine, machine*
pell *far*
pellter *distance*
pen *head:* ar ben ar *all up with*
pendant *determined; definite*
penderfyniad *decision*
penderfynol *determined*
penderfynu *to decide*
pen-lin (penliniau) *knee*
penlinio *to kneel*
perchennog *owner*
pert *pretty*
pesychu *to cough*
petruso *to hesitate*
plentyndod *childhood*
plu *feathers:* â'i ben yn ei blu *depressed*
poblogaidd *popular*
poeni *to worry*
poer *spit*
prif *head, chief*
prifddinas *capital*
priodi *to marry*
profiad *experience*
pryderus *anxious*
prydferth *beautiful*
pwysig *important*
pwysleisio *to stress*
pwyso *to lean*

restio *to arrest*

rhannu *to share*
rheilffordd *railway*
rheoli *to rule*
rhestr *list*
rhewi *to freeze*
rhiw *hill, slope*
rhoi'r gorau i *to give up*

rhugl *fluent*
rhwygo *to tear*
rhwystro *to prevent*
rhybudd *warning*
rhydd *free*
rhyddid *freedom*
rhyfedd *strange*
rhyfel *war*

saethu *to shoot*
sedd (-au) *seat*
sefyllfa *situation*
seren (sêr) *star*
serth *steep*
sibrwd *to whisper*
sidan *silk*
siglo *to shake*
sawdl (sodlau) *heel*
sôn *to mention*
Swistir, y *Switzerland*
swnio *to sound*
swnllyd *noisy*
swydd *job*
swyddfa *office*
swyddog (-ion) *officer*
swyddogol *official*
sychu *to wipe*
sylw *attention, notice*
sylweddoli *to realise*
sylwi *to notice, to observe*
syllu *to stare*
syn *surprised*

taclus *tidy*
tâl *payment*
talcen *forehead*
tanio *to light, to start up*
taro *to strike*
tebyg *likely; similar*
teimlad *feeling*
teithiwr (teithwyr) *traveller, passenger*
trafferth *trouble*

tramorwr *foreigner*
trannoeth *next day*
trefnu *to organise*
treulio *to spend (time)*
trigain *sixty*
trin *to treat*
trosedd *crime*
trueni *pity*
trwydded *permit;* trwydded deithio *travel permit, passport*
tymer *temper*
tyner *gentle*
tyrfa *crowd*
tywyll *dark*
tywyllu *to get dark*
tywyllwch *darkness*

unben *dictator*
unig *lonely*
Unol Daleithiau, yr *the United States*
uwchgapten *major*

wynebu *to face*

ychwanegu *to add*
yfflon o draed moch *dreadful mess*
ymarfer *to practise*
ymateb *to react*
ymddiried *to trust*
ymddwyn *to behave*
ymhlith *among*
ymholiad (-au) *enquiry*
ymlacio *to relax*
ymosod *to attack*
ymuno *to join*
ymweld *to visit*
ysbïwr *spy*
ysbyty *hospital*
ysgrifennydd *secretary*
ysgwyd *to shake*
ysgwydd *shoulder*

64